STÉPHANE MALLARMÉ

Poésies

Poésies
Choix de vers
de circonstance
Poèmes d'enfance
et de jeunesse

PRÉFACE DE
JEAN-PAUL SARTRE

GALLIMARD

COLLECTION POÉSIE

Mallarmé

1842-1898

Fils et petit-fils de fonctionnaire, élevé par une regret-
table grand-mère, Mallarmé sent croître en lui de bonne
heure une révolte qui ne trouve pas son point d'application.
La société, la Nature, la famille, il conteste tout, jusqu'au
pauvre enfant pâle qu'il aperçoit dans la glace. Mais
l'efficacité de la contestation est en raison inverse de son
étendue. Bien sûr, il faut faire sauter le monde : mais
comment y parvenir sans se salir les mains. Une bombe
est une chose au même titre qu'un fauteuil empire :
un peu plus méchante, voilà tout ; que d'intrigues et
de compromissions pour pouvoir la placer où il faut.
Mallarmé n'est pas, ne sera pas anarchiste : il refuse toute
action singulière ; sa violence — je le dis sans ironie —
est si entière et si désespérée qu'elle se change en calme
idée de violence. Non, il ne fera pas sauter le monde :
il le mettra entre parenthèses. Il choisit le terrorisme de
la politesse ; avec les choses, avec les hommes, avec lui-
même, il conserve toujours une imperceptible distance.
C'est cette distance qu'il veut exprimer d'abord dans ses vers.
    Au temps des premiers poèmes, l'acte poétique de

Mallarmé est d'abord une recréation. Il s'agit de s'assurer qu'on est bien là où l'on doit être. Mallarmé déteste sa naissance : il écrit pour l'effacer. Comme le dit Blanchot, l'univers de la prose se suffit et il ne faut pas compter qu'il nous fournira de lui-même les raisons de le dépasser. Si le poète peut isoler un objet poétique dans le monde, c'est qu'il est déjà soumis aux exigences de la Poésie ; en un mot il 'est engendré par elle. Mallarmé a toujours conçu cette « vocation » comme un impératif catégorique. Ce qui le pousse, ce n'est pas l'urgence des impressions, leur richesse ni la violence des sentiments. C'est un ordre : « Tu manifesteras par ton œuvre que tu tiens l'univers à distance. » Et ses premiers vers, en effet, n'ont d'autre sujet que la Poésie elle-même. On a fait remarquer que l'Idéal dont il est sans cesse question dans les poèmes reste une abstraction, le travestissement poétique d'une simple négation : c'est la région indéterminée dont il faut bien se rapprocher quand on s'éloigne de la réalité. Elle servira d'alibi : on dissimulera le ressentiment et la haine qui incitent à s'absenter de l'être en prétendant qu'on s'éloigne pour rejoindre l'idéal.

Mais il eût fallu croire en Dieu : Dieu garantit la Poésie. Les poètes de la génération précédente étaient des prophètes mineurs : par leur bouche, Dieu parlait. Mallarmé ne croit plus en Dieu. Or les idéologies ruinées ne s'effondrent pas d'un seul coup, elles laissent des pans de murs dans les esprits. Après avoir tué Dieu de ses propres mains, Mallarmé voulait encore une caution divine ; il fallait que la Poésie demeurât transcendante bien qu'il eût supprimé la source de toute transcendance : Dieu mort, l'inspiration ne pouvait naître que de sources crapuleuses. Et sur quoi fonder l'exigence poétique. Mallarmé entendait encore la voix de Dieu mais il y discernait les

6

clameurs vagues de la nature. Ainsi, le soir, quelqu'un chuchote dans la chambre — et c'est le vent. Le vent ou les ancêtres : il reste vrai que la prose du monde n'inspire pas de poèmes ; il reste vrai que le vers exige d'avoir existé déjà ; il reste vrai qu'on l'entend chanter en soi avant de l'écrire. Mais c'est par une mystification : car le vers neuf qui va naître, c'est en fait un vers ancien qui veut ressusciter. Ainsi les poèmes qui prétendent monter de notre cœur à nos lèvres, remontent, en vérité, de notre mémoire. L'inspiration ? Des réminiscences, un point c'est tout. Mallarmé entrevoit dans l'avenir une jeune image de lui-même qui lui fait signe ; il s'approche : c'était son père. Sans doute le temps est-il une illusion : le futur n'est que l'aspect aberrant que prend le passé aux yeux de l'homme. Ce désespoir — que Mallarmé nommait alors son impuissance, car il l'inclinait à refuser toutes les sources d'inspiration et tous les thèmes poétiques qui ne fussent pas le concept abstrait et formel de Poésie — l'incite à postuler toute une métaphysique, c'est-à-dire une sorte de matérialisme analytique et vaguement spinoziste. Rien n'existe que la matière, éternel clapotis de l'être, espace « pareil à soi qu'il s'accroisse ou se nie ». L'apparition de l'homme transforme pour celui-ci l'éternel en temporalité et l'infini en hasard. En elle-même en effet la série infinie et éternelle des causes est tout ce qu'elle peut être ; un entendement tout connaissant en saisirait peut-être l'absolue nécessité. Mais pour un mode fini le monde apparaît comme une perpétuelle rencontre, une absurde succession de hasards. Si cela est vrai, les raisons de notre raison sont aussi folles que les raisons de notre cœur, les principes de notre pensée et les catégories de notre action sont des leurres : l'homme est un rêve impossible. Ainsi l'impuissance du Poète symbolise l'impossibilité d'être homme. *Il n'y a qu'une tragédie, toujours la même « et qui est résolue tout de suite, le temps d'en montrer la défaite qui se déroule fulguramment ». Cette tragédie : « Il jette les dés... Qui créa se retrouve la matière, les blocs, les dés. »* Il y avait les dés, il y a les dés ; il y avait les mots, il y a les mots. L'homme : l'illusion volatile qui voltige au-dessus des mouvements de la matière. Mallarmé, créature de pure matière, veut produire un ordre supérieur à la matière. Son impuissance est théologique : la mort de Dieu créait au poète le devoir de le remplacer ; il échoue. L'homme de Mallarmé comme celui de Pascal s'exprime en termes de drame et non en termes d'essence : *« Seigneur latent qui ne peut devenir »*, il se définit par son impossibilité. *« C'est ce jeu insensé d'écrire, s'arroger en vertu d'un doute quelque devoir de tout recréer avec des réminiscences. »* Mais *« la Nature a lieu, on n'y ajoutera pas »*. Aux époques sans avenirs, barrées par la volumineuse stature d'un roi ou par l'incontestable triomphe d'une classe, l'invention semble une pure réminiscence : tout est dit, l'on vient trop tard. Ribot fera bientôt la théorie de cette impuissance en composant nos images mentales avec des souvenirs. On entrevoit chez Mallarmé une métaphysique pessimiste : il y aurait dans la matière, informe infinité, une sorte d'appétit obscur de revenir sur soi pour se connaître : pour éclairer son obscure infinité elle produirait ces lambeaux de pensées qu'on appelle des hommes, ces flammes déchirées. Mais la dispersion infinie arrache et disperse l'Idée. L'homme et le hasard naissent en même temps et l'un par l'autre. L'homme est un raté, un « loup » parmi les « loups ». Sa grandeur est de vivre son défaut de fabrication jusqu'à l'explosion finale.

N'est-il pas temps d'exploser ? Mallarmé, à Tournon,

à Besançon, à Avignon, a très sérieusement envisagé le suicide. D'abord c'est la conclusion qui s'impose : si l'homme est impossible, il faut manifester cette impossibilité en la poussant jusqu'au point où elle se détruit elle-même. Pour une fois la cause de notre action ne saurait être la matière. L'être ne produit que de l'être ; si le Poète choisit le non-être en conséquence de sa non-possibilité, c'est le Non qui est la cause du Néant : un ordre humain s'établit contre l'être par la disparition même de l'Homme. Avant Mallarmé, Flaubert, déjà, faisait tenter saint Antoine en ces termes : « *(Donne-toi la mort.)* Faire une chose qui vous égale à Dieu, pense donc. Il t'a créé, tu vas détruire son œuvre, toi, par ton courage, librement. » N'est-ce pas ce qu'il a toujours voulu : il y a dans le suicide qu'il médite quelque chose d'un crime terroriste. Et n'a-t-il pas dit que le suicide et le crime étaient les seuls actes surnaturels que l'on puisse faire. Il appartient à certains hommes de confondre leur drame avec celui de l'humanité ; c'est ce qui les sauve : pas un instant Mallarmé ne doute que l'espèce humaine, s'il se tue, ne viendra mourir en lui tout entière ; ce suicide est un génocide. Disparaître : on rendrait à l'être sa pureté. Puisque le hasard surgit avec l'homme, avec lui il s'évanouira : « L'infini enfin, échappe à ma famille, qui en a souffert — vieil espace — pas de hasard... Ceci devait avoir lieu dans les combinaisons de l'Infini. Vis-à-vis de l'Absolu Nécessaire — extrait l'Idée. » A travers des générations de poètes, lentement, l'idée poétique ruminait la contradiction qui la rend impossible. La mort de Dieu fit tomber le dernier voile : il était réservé à l'ultime rejeton de la race, de vivre cette contradiction dans sa pureté — et d'en mourir, donnant ainsi la conclusion poétique de l'histoire humaine. Sacrifice et génocide, affirmation et négation de l'homme, le suicide de Mallarmé reproduira le mouvement des dés : la matière se retrouve matière.

Si pourtant la crise ne s'est pas dénouée par sa mort, c'est qu'un « éclair absolu » est venu frapper à ses vitres : dans cette expérience à blanc de la mort volontaire, Mallarmé découvre tout à coup sa doctrine. Si le suicide est efficace, c'est qu'il remplace la négation abstraite et vaine de tout l'être par un travail négatif. En termes hégéliens on pourrait dire que la méditation de l'acte absolu fait passer Mallarmé du « stoïcisme », pure affirmation formelle de la pensée en face de l'être-libre, au scepticisme qui « est la réalisation de ce dont le stoïcisme est seulement le concept... (Dans le scepticisme) la pensée devient la pensée parfaite, anéantissant l'être du monde dans la multiple variété de ses déterminations et la négativité de la conscience de soi devient négativité réelle », le premier mouvement de Mallarmé a été le recul du dégoût et la condamnation universelle. Réfugié en haut de sa spirale, l'héritier « n'osait bouger », de peur de déchoir. Mais il s'aperçoit à présent que la négation universelle équivaut à l'absence de négation. Nier est un acte : tout acte doit s'insérer dans le temps et s'exercer sur un contenu particulier. Le suicide est un acte parce qu'il détruit effectivement un être et parce qu'il fait hanter le monde par une absence. Si l'être est dispersion, l'homme en perdant son être gagne une incorruptible unité ; mieux, son absence exerce une action astringente sur l'être de l'univers ; pareille aux formes aristotéliciennes, l'absence resserre les choses, les pénètre de son unité secrète. C'est le mouvement même du suicide qu'il faut reproduire dans le poème. Puisque l'homme ne peut créer, mais qu'il lui reste la ressource de détruire, puisqu'il s'affirme par l'acte même qui l'anéantit, le poème sera donc un travail de destruction. Considérée du point de vue de la mort, la poésie sera, comme le dit fort bien Blanchot, « ce langage dont toute la force est de n'être pas, toute la gloire d'évoquer, en sa propre absence, l'absence de tout ». Mallarmé peut écrire fièrement à Lefébure que la Poésie est devenue critique. En se risquant tout entier, Mallarmé s'est découvert, sous l'éclairage de la mort, dans son essence d'homme et de poète. Il n'a pas abandonné sa contestation de tout, simplement il la rend efficace. Bientôt il pourra écrire que « le poème est la seule bombe ». C'est au point qu'il lui arrive de croire qu'il s'est tué pour de bon.

Ce n'est pas par hasard que Mallarmé écrit le mot « Rien » sur la première page de ses Poésies complètes [1]. Puisque le poème est suicide de l'homme et de la poésie, il faut enfin que l'être se referme sur cette mort, il faut que le moment de la plénitude poétique corresponde à celui de l'annulation. Ainsi la vérité devenue de ces poèmes, c'est le néant : « Rien n'aura eu lieu que le lieu. » On connaît l'extraordinaire logique négative qu'il a inventée, comment sous sa plume, une dentelle s'abolit à n'ouvrir qu'une absence de lit pendant que le « pur vase d'aucun breuvage » agonise sans consentir à rien espérer qui annonce une rose invisible ou comment une tombe ne s'encombre que « du manque de lourds bouquets ». « Le vierge, le vivace et le bel aujourd'hui » donne un exemple parfait de cette annulation interne du poème. « Aujourd'hui » avec son futur n'est qu'une illusion, le présent se réduit au passé, un cygne qui se croyait agir n'est qu'un souvenir de lui-même et sans espoir s'immobilise « au songe froid de mépris » ; une apparence de mouvement s'évanouit, reste la surface infinie et indifférenciée du gel. L'explosion des couleurs et des formes nous révèle un symbole sensible qui nous renvoie à la tragédie humaine et

1. « Rien, cette écume, vierge vers... »

celle-ci se dissout dans le néant : voilà le mouvement interne de ces poèmes inouïs qui sont à la fois des paroles silencieuses et des objets truqués. Pour finir, dans leur disparition même, ils auront évoqué les contours de quelque objet « échappant qui fait défaut » et leur beauté même sera comme une preuve a priori que le défaut d'être est une manière d'être.

Fausse preuve : Mallarmé est trop lucide pour ne pas comprendre que nulle expérience singulière ne contredira les principes au nom desquels on l'établit. Si le Hasard est au commencement, « jamais un coup de dés l'abolira ». Dans un acte où le hasard est en jeu, c'est toujours le hasard qui accomplit sa propre Idée en s'affirmant ou en se niant. Dans le poème, c'est le hasard lui-même qui se nie ; la poésie née du hasard et luttant contre lui abolit le hasard en s'abolissant parce que son abolition symbolique est celle de l'homme. Mais tout cela, au fond, n'est qu'une supercherie. L'ironie de Mallarmé naît de ce qu'il connaît l'absolue vanité et l'entière nécessité de son œuvre et qu'il y discerne ce couple de contraires sans synthèse qui perpétuellement s'engendre et se repousse : le hasard qui crée la nécessité, illusion de l'homme — ce morceau de nature devenu fou — la nécessité créant le hasard comme ce qui la limite et la définit a contrario, la nécessité niant le hasard « pied à pied » dans les vers, le hasard niant à son tour la nécessité puisque le full-employment des mots est impossible et la nécessité abolissant à son tour le hasard par le suicide du Poème et de la poésie. Il y a chez Mallarmé un mystificateur triste : il a créé et maintenu chez ses amis et disciples l'illusion d'un grand œuvre où soudain se résorberait le monde ; il prétendait s'y préparer. Mais il en connaissait parfaitement l'impossibilité. Il fallait simplement que sa vie même parût subordonnée à cet objet absent : l'explication orphique de la Terre (qui n'est autre que la poésie elle-même) ; et je ne crois pas qu'il n'ait pas conçu sa mort comme devant éterniser ce rapport à l'orphisme comme la plus haute ambition du poète et son échec comme la tragique impossibilité de l'homme. Un poète mort à vingt-cinq ans, tué par le sentiment de son impuissance : c'est un fait divers. Un poète de cinquante-six ans qui meurt au moment où il a compris peu à peu tous ses moyens et où il se dispose à commencer son œuvre, c'est la tragédie même de l'homme. La mort de Mallarmé est une mystification mémorable.

Mais c'est une mystification par la vérité : « Histrion véridique de lui-même », Mallarmé a joué devant tous pendant trente ans cette tragédie à un seul personnage qu'il a souvent rêvé d'écrire. Il fut le « seigneur latent qui ne peut devenir juvénile ombre de tous, ainsi tenant du mythe... imposant aux vivants un effacement subtil et par le subtil envahissement de sa présence ». Dans le système complexe de cette comédie, ses poésies devaient être des échecs pour être parfaites. Il ne suffisait pas qu'elles abolissent langage et monde, ni même qu'elles s'annulassent ; il fallait encore qu'elles fussent de vaines ébauches au regard d'une œuvre inouïe et impossible que le hasard d'une mort l'empêcha de commencer. Tout est dans l'ordre si l'on considère ces suicides symboliques à la lumière d'une mort accidentelle, l'être à la lumière du néant. Par un retour imprévu, ce naufrage atroce donne à chacun des poèmes réalisés une nécessité absolue. Leur sens le plus poignant vient de ce qu'ils nous enthousiasment et de ce que leur auteur les tenait pour rien. Il leur donna leur dernière touche quand, la veille de sa mort, il feignit de ne penser qu'à son œuvre future et quand il écrivit à sa femme et à sa fille : « Croyez que cela devait être très beau. » Vérité ? Mensonge ? Mais c'est l'homme même, tout l'homme que veut être Mallarmé : l'homme mourant sur tout le globe d'une désintégration de l'atome ou d'un refroidissement du Soleil et murmurant à la pensée de la Société qu'il voulait construire : « Croyez que cela devait être fort beau. »

Héros, prophète, mage et tragédien ce petit homme féminin, discret, peu porté sur les femmes mérite de mourir au seuil de notre siècle : il l'annonce. Plus et mieux que Nietzsche, il a vécu la Mort de Dieu ; bien avant Camus, il a senti que le suicide est la question originelle que l'homme doit se poser ; sa lutte de chaque jour contre le hasard, d'autres la reprendront sans dépasser sa lucidité ; car il se demandait en somme : peut-on trouver dans le déterminisme un chemin pour en sortir ? Peut-on renverser la praxis et retrouver une subjectivité en réduisant l'univers et soi-même à l'objectif : il applique systématiquement à l'art ce qui n'était encore qu'un principe philosophique et devait devenir une maxime de la politique : « Faire et en faisant se faire » ; peu avant le développement gigantesque des techniques, il invente une technique de la poésie ; au moment où Taylor s'avisait de mobiliser les hommes pour donner à leur travail sa pleine efficacité, il mobilise le langage pour assurer le plein rendement des mots. Mais ce qui touchera plus encore, me semble-t-il, c'est cette angoisse métaphysique qu'il a pleinement et si modestement vécue. Pas un jour ne s'est écoulé sans qu'il ne fût tenté de se tuer et, s'il a vécu, c'est pour sa fille. Mais cette mort en sursis lui donnait une sorte d'ironie charmante et destructive : son « illumination native ». Ce fut surtout l'art de trouver et d'établir dans sa vie quotidienne et jusque dans sa perception un « deux à deux rongeur », où il engageait tous les objets de ce monde. Il fut tout entier poète, tout entier engagé dans la destruction critique de la poésie par elle-même : et en même temps, il restait dehors ; sylphe des froids plafonds, il se regarde : si la matière produit la poésie, peut-être la

pensée lucide de la matière échappe-t-elle au déterminisme?
Ainsi sa poésie même est entre parenthèses ; on lui envoya
un jour quelques dessins qui lui plurent ; mais il s'attacha
tout particulièrement à un vieux mage souriant et triste :
« Parce que, dit-il, il sait bien que son art est une imposture.
Mais il a aussi l'air de dire : « C'eût été la vérité. »

Jean-Paul Sartre.

Poésies

Salut

Rien, cette écume, vierge vers
A ne désigner que la coupe;
Telle loin se noie une troupe
De sirènes mainte à l'envers.

Nous naviguons, ô mes divers
Amis, moi déjà sur la poupe
Vous l'avant fastueux qui coupe
Le flot de foudres et d'hivers;

Une ivresse belle m'engage
Sans craindre même son tangage
De porter debout ce salut

Solitude, récif, étoile
A n'importe ce qui valut
Le blanc souci de notre toile.

Premiers Poëmes

Le guignon

Au-dessus du bétail ahuri des humains
Bondissaient en clartés les sauvages crinières
Des mendieurs d'azur le pied dans nos chemins.

Un noir vent sur leur marche éployé pour bannières
La flagellait de froid tel jusque dans la chair,
Qu'il y creusait aussi d'irritables ornières.

Toujours avec l'espoir de rencontrer la mer,
Ils voyageaient sans pain, sans bâtons et sans urnes,
Mordant au citron d'or de l'idéal amer.

La plupart râla dans les défilés nocturnes,
S'enivrant du bonheur de voir couler son sang,
O Mort le seul baiser aux bouches taciturnes!

Leur défaite, c'est par un ange très puissant
Debout à l'horizon dans le nu de son glaive :
Une pourpre se caille au sein reconnaissant.

Ils tètent la douleur comme ils tétaient le rêve
Et quand ils vont rythmant des pleurs voluptueux
Le peuple s'agenouille et leur mère se lève.

Ceux-là sont consolés, sûrs et majestueux;
Mais traînent à leurs pas cent frères qu'on bafoue,
Dérisoires martyrs de hasards tortueux.

Le sel pareil des pleurs ronge leur douce joue,
Ils mangent de la cendre avec le même amour,
Mais vulgaire ou bouffon le destin qui les roue.

Ils pouvaient exciter aussi comme un tambour
La servile pitié des races à voix ternes,
Égaux de Prométhée à qui manque un vautour!

Non, vils et fréquentant les déserts sans citerne,
Ils courent sous le fouet d'un monarque rageur,
Le Guignon, dont le rire inouï les prosterne.

Amants, il saute en croupe à trois, le partageur!
Puis le torrent franchi, vous plonge en une mare
Et laisse un bloc boueux du blanc couple nageur.

Grâce à lui, si l'un souffle à son buccin bizarre,
Des enfants nous tordront en un rire obstiné
Qui, le poing à leur cul, singeront sa fanfare.

Grâce à lui, si l'urne orne à point un sein fané
Par une rose qui nubile le rallume,
De la bave luira sur son bouquet damné.

Et ce squelette nain, coiffé d'un feutre à plume
Et botté, dont l'aisselle a pour poils vrais des vers,
Est pour eux l'infini de la vaste amertume.

Vexés ne vont-ils pas provoquer le pervers,
Leur rapière grinçant suit le rayon de lune
Qui neige en sa carcasse et qui passe au travers.

Désolés sans l'orgueil qui sacre l'infortune,
Et tristes de venger leurs os de coups de bec,
Ils convoitent la haine, au lieu de la rancune.

Ils sont l'amusement des racleurs de rebec,
Des marmots, des putains et de la vieille engeance
Des loqueteux dansant quand le broc est à sec.

Les poëtes bons pour l'aumône ou la vengeance,
Ne connaissant le mal de ces dieux effacés,
Les disent ennuyeux et sans intelligence.

« Ils peuvent fuir ayant de chaque exploit assez,
» Comme un vierge cheval écume de tempête
» Plutôt que de partir en galops cuirassés.

» Nous soûlerons d'encens le vainqueur dans la fête :
» Mais eux, pourquoi n'endosser pas, ces baladins,
» D'écarlate haillon hurlant que l'on s'arrête! »

Quand en face tous leur ont craché les dédains,
Nuls et la barbe à mots bas priant le tonnerre,
Ces héros excédés de malaises badins

Vont ridiculement se pendre au réverbère.

Apparition

La lune s'attristait. Des séraphins en pleurs
Rêvant, l'archet aux doigts, dans le calme des fleurs
Vaporeuses, tiraient de mourantes violes
De blancs sanglots glissant sur l'azur des corolles.
— C'était le jour béni de ton premier baiser.
Ma songerie aimant à me martyriser
S'enivrait savamment du parfum de tristesse
Que même sans regret et sans déboire laisse
La cueillaison d'un Rêve au cœur qui l'a cueilli.
J'errais donc, l'œil rivé sur le pavé vieilli
Quand avec du soleil aux cheveux, dans la rue
Et dans le soir, tu m'es en riant apparue
Et j'ai cru voir la fée au chapeau de clarté
Qui jadis sur mes beaux sommeils d'enfant gâté
Passait, laissant toujours de ses mains mal fermées
Neiger de blancs bouquets d'étoiles parfumées.

Placet futile

Princesse! à jalouser le destin d'une Hébé
Qui poind sur cette tasse au baiser de vos lèvres,
J'use mes feux mais n'ai rang discret que d'abbé
Et ne figurerai même nu sur le Sèvres.

Comme je ne suis pas ton bichon embarbé,
Ni la pastille ni du rouge, ni jeux mièvres
Et que sur moi je sais ton regard clos tombé,
Blonde dont les coiffeurs divins sont des orfèvres!

Nommez-nous... toi de qui tant de ris framboisés
Se joignent en troupeau d'agneaux apprivoisés
Chez tous broutant les vœux et bêlant aux délires,

Nommez-nous... pour qu'Amour ailé d'un éventail
M'y peigne flûte aux doigts endormant ce bercail,
Princesse, nommez-nous berger de vos sourires.

Le pitre châtié

Yeux, lacs avec ma simple ivresse de renaître
Autre que l'histrion qui du geste évoquais
Comme plume la suie ignoble des quinquets,
J'ai troué dans le mur de toile une fenêtre.

De ma jambe et des bras limpide nageur traître,
A bonds multipliés, reniant le mauvais
Hamlet! c'est comme si dans l'onde j'innovais
Mille sépulcres pour y vierge disparaître.

Hilare or de cymbale à des poings irrité,
Tout à coup le soleil frappe la nudité
Qui pure s'exhala de ma fraîcheur de nacre,

Rance nuit de la peau quand sur moi vous passiez,
Ne sachant pas, ingrat! que c'était tout mon sacre,
Ce fard noyé dans l'eau perfide des glaciers.

Du Parnasse satyrique

Une négresse ...

Une négresse par le démon secouée
Veut goûter une enfant triste de fruits nouveaux
Et criminels aussi sous leur robe trouée
Cette goinfre s'apprête à de rusés travaux :

A son ventre compare heureuses deux tétines
Et, si haut que la main ne le saura saisir,
Elle darde le choc obscur de ses bottines
Ainsi que quelque langue inhabile au plaisir.

Contre la nudité peureuse de gazelle
Qui tremble, sur le dos tel un fol éléphant
Renversée elle attend et s'admire avec zèle,
En riant de ses dents naïves à l'enfant;

Et, dans ses jambes où la victime se couche,
Levant une peau noire ouverte sous le crin,
Avance le palais de cette étrange bouche
Pâle et rose comme un coquillage marin.

Du Parnasse contemporain

Les fenêtres

Las du triste hôpital, et de l'encens fétide
Qui monte en la blancheur banale des rideaux
Vers le grand crucifix ennuyé du mur vide,
Le moribond sournois y redresse un vieux dos,

Se traîne et va, moins pour chauffer sa pourriture
Que pour voir du soleil sur les pierres, coller
Les poils blancs et les os de la maigre figure
Aux fenêtres qu'un beau rayon clair veut hâler.

Et la bouche, fiévreuse et d'azur bleu vorace,
Telle, jeune, elle alla respirer son trésor,
Une peau virginale et de jadis! encrasse
D'un long baiser amer les tièdes carreaux d'or.

Ivre, il vit, oubliant l'horreur des saintes huiles,
Les tisanes, l'horloge et le lit infligé,
La toux; et quand le soir saigne parmi les tuiles,
Son œil, à l'horizon de lumière gorgé,

Voit des galères d'or, belles comme des cygnes,
Sur un fleuve de pourpre et de parfums dormir
En berçant l'éclair fauve et riche de leurs lignes
Dans un grand nonchaloir chargé de souvenir !

Ainsi, pris du dégoût de l'homme à l'âme dure
Vautré dans le bonheur, où ses seuls appétits
Mangent, et qui s'entête à chercher cette ordure
Pour l'offrir à la femme allaitant ses petits,

Je fuis et je m'accroche à toutes les croisées
D'où l'on tourne l'épaule à la vie, et, béni,
Dans leur verre, lavé d'éternelles rosées,
Que dore le matin chaste de l'Infini

Je me mire et me vois ange ! et je meurs, et j'aime
— Que la vitre soit l'art, soit la mysticité —
A renaître, portant mon rêve en diadème,
Au ciel antérieur où fleurit la Beauté !

Mais, hélas ! Ici-bas est maître : sa hantise
Vient m'écœurer parfois jusqu'en cet abri sûr,
Et le vomissement impur de la Bêtise
Me force à me boucher le nez devant l'azur.

Est-il moyen, ô Moi qui connais l'amertume,
D'enfoncer le cristal par le monstre insulté
Et de m'enfuir, avec mes deux ailes sans plume
— Au risque de tomber pendant l'éternité ?

Les fleurs

Des avalanches d'or du vieil azur, au jour
Premier et de la neige éternelle des astres
Jadis tu détachas les grands calices pour
La terre jeune encore et vierge de désastres,

Le glaïeul fauve, avec les cygnes au col fin,
Et ce divin laurier des âmes exilées
Vermeil comme le pur orteil du séraphin
Que rougit la pudeur des aurores foulées,

L'hyacinthe, le myrte à l'adorable éclair
Et, pareille à la chair de la femme, la rose
Cruelle, Hérodiade en fleur du jardin clair,
Celle qu'un sang farouche et radieux arrose!

Et tu fis la blancheur sanglotante des lys
Qui roulant sur des mers de soupirs qu'elle effleure
A travers l'encens bleu des horizons pâlis
Monte rêveusement vers la lune qui pleure!

Hosannah sur le cistre et dans les encensoirs,
Notre Dame, hosannah du jardin de nos limbes!
Et finisse l'écho par les célestes soirs,
Extase des regards, scintillement des nimbes!

O Mère qui créas en ton sein juste et fort,
Calices balançant la future fiole,
De grandes fleurs avec la balsamique Mort
Pour le poëte las que la vie étiole.

Renouveau

Le printemps maladif a chassé tristement
L'hiver, saison de l'art serein, l'hiver lucide,
Et, dans mon être à qui le sang morne préside
L'impuissance s'étire en un long bâillement.

Des crépuscules blancs tiédissent sous mon crâne
Qu'un cercle de fer serre ainsi qu'un vieux tombeau
Et triste, j'erre après un rêve vague et beau,
Par les champs où la sève immense se pavane

Puis je tombe énervé de parfums d'arbres, las,
Et creusant de ma face une fosse à mon rêve,
Mordant la terre chaude où poussent les lilas,

J'attends, en m'abîmant que mon ennui s'élève...
— Cependant l'Azur rit sur la haie et l'éveil
De tant d'oiseaux en fleur gazouillant au soleil.

Angoisse

Je ne viens pas ce soir vaincre ton corps, ô bête
En qui vont les péchés d'un peuple, ni creuser
Dans tes cheveux impurs une triste tempête
Sous l'incurable ennui que verse mon baiser :

Je demande à ton lit le lourd sommeil sans songes
Planant sous les rideaux inconnus du remords,
Et que tu peux goûter après tes noirs mensonges,
Toi qui sur le néant en sais plus que les morts.

Car le Vice, rongeant ma native noblesse
M'a comme toi marqué de sa stérilité,
Mais tandis que ton sein de pierre est habité

Par un cœur que la dent d'aucun crime ne blesse,
Je fuis, pâle, défait, hanté par mon linceul,
Ayant peur de mourir lorsque je couche seul.

Las de l'amer repos...

Las de l'amer repos où ma paresse offense
Une gloire pour qui jadis j'ai fui l'enfance
Adorable des bois de roses sous l'azur
Naturel, et plus las sept fois du pacte dur
De creuser par veillée une fosse nouvelle
Dans le terrain avare et froid de ma cervelle,
Fossoyeur sans pitié pour la stérilité,
— Que dire à cette Aurore, ô Rêves, visité
Par les roses, quand, peur de ses roses livides,
Le vaste cimetière unira les trous vides ? —

Je veux délaisser l'Art vorace d'un pays
Cruel, et, souriant aux reproches vieillis
Que me font mes amis, le passé, le génie,
Et ma lampe qui sait pourtant mon agonie,
Imiter le Chinois au cœur limpide et fin
De qui l'extase pure est de peindre la fin
Sur ses tasses de neige à la lune ravie
D'une bizarre fleur qui parfume sa vie
Transparente, la fleur qu'il a sentie, enfant,
Au filigrane bleu de l'âme se greffant.

Et, la mort telle avec le seul rêve du sage,
Serein, je vais choisir un jeune paysage
Que je peindrais encor sur les tasses, distrait.
Une ligne d'azur mince et pâle serait
Un lac, parmi le ciel de porcelaine nue,
Un clair croissant perdu par une blanche nue
Trempe sa corne calme en la glace des eaux,
Non loin de trois grands cils d'émeraude, roseaux.

Le sonneur

Cependant que la cloche éveille sa voix claire
A l'air pur et limpide et profond du matin
Et passe sur l'enfant qui jette pour lui plaire
Un angélus parmi la lavande et le thym,

Le sonneur effleuré par l'oiseau qu'il éclaire,
Chevauchant tristement en geignant du latin
Sur la pierre qui tend la corde séculaire,
N'entend descendre à lui qu'un tintement lointain.

Je suis cet homme. Hélas! de la nuit désireuse,
J'ai beau tirer le câble à sonner l'Idéal,
De froids péchés s'ébat un plumage féal,

Et la voix ne me vient que par bribes et creuse!
Mais, un jour, fatigué d'avoir en vain tiré,
O Satan, j'ôterai la pierre et me pendrai.

Tristesse d'été

Le soleil, sur le sable, ô lutteuse endormie,
En l'or de tes cheveux chauffe un bain langoureux
Et, consumant l'encens sur ta joue ennemie,
Il mêle avec les pleurs un breuvage amoureux.
De ce blanc flamboiement l'immuable accalmie
T'a fait dire, attristée, ô mes baisers peureux,
« Nous ne serons jamais une seule momie
Sous l'antique désert et les palmiers heureux! »

Mais ta chevelure est une rivière tiède,
Où noyer sans frissons l'âme qui nous obsède
Et trouver ce Néant que tu ne connais pas!

Je goûterai le fard pleuré par tes paupières,
Pour voir s'il sait donner au cœur que tu frappas
L'insensibilité de l'azur et des pierres.

L'Azur

De l'éternel azur la sereine ironie
Accable, belle indolemment comme les fleurs,
Le poëte impuissant qui maudit son génie
A travers un désert stérile de Douleurs.

Fuyant, les yeux fermés, je le sens qui regarde
Avec l'intensité d'un remords atterrant,
Mon âme vide. Où fuir ? Et quelle nuit hagarde
Jeter, lambeaux, jeter sur ce mépris navrant ?

Brouillards, montez! Versez vos cendres monotones
Avec de longs haillons de brume dans les cieux
Qui noiera le marais livide des automnes
Et bâtissez un grand plafond silencieux!

Et toi, sors des étangs léthéens et ramasse
En t'en venant la vase et les pâles roseaux,
Cher Ennui, pour boucher d'une main jamais lasse
Les grands trous bleus que font méchamment les oiseaux.

Encor! que sans répit les tristes cheminées
Fument, et que de suie une errante prison

Éteigne dans l'horreur de ses noires traînées
Le soleil se mourant jaunâtre à l'horizon!

— Le Ciel est mort. — Vers toi, j'accours! donne, ô
                                              [matière,
L'oubli de l'Idéal cruel et du Péché
A ce martyr qui vient partager la litière
Où le bétail heureux des hommes est couché,

Car j'y veux, puisque enfin ma cervelle, vidée
Comme le pot de fard gisant au pied du mur,
N'a plus l'art d'attifer la sanglotante idée,
Lugubrement bâiller vers un trépas obscur...

En vain! l'Azur triomphe, et je l'entends qui chante
Dans les cloches. Mon âme, il se fait voix pour plus
Nous faire peur avec sa victoire méchante,
Et du métal vivant sort en bleus angélus!

Il roule par la brume, ancien et traverse
Ta native agonie ainsi qu'un glaive sûr;
Où fuir dans la révolte inutile et perverse?
Je suis hanté. L'Azur! l'Azur! l'Azur! l'Azur!

Brise marine

La chair est triste, hélas! et j'ai lu tous les livres.
Fuir! là-bas fuir! Je sens que des oiseaux sont ivres
D'être parmi l'écume inconnue et les cieux!
Rien, ni les vieux jardins reflétés par les yeux
Ne retiendra ce cœur qui dans la mer se trempe
O nuits! ni la clarté déserte de ma lampe
Sur le vide papier que la blancheur défend
Et ni la jeune femme allaitant son enfant.
Je partirai! Steamer balançant ta mâture,
Lève l'ancre pour une exotique nature!

Un Ennui, désolé par les cruels espoirs,
Croit encore à l'adieu suprême des mouchoirs!
Et, peut-être, les mâts, invitant les orages
Sont-ils de ceux qu'un vent penche sur les naufrages
Perdus, sans mâts, sans mâts, ni fertiles îlots...
Mais, ô mon cœur, entends le chant des matelots!

Soupir

Mon âme vers ton front où rêve, ô calme sœur,
Un automne jonché de taches de rousseur,
Et vers le ciel errant de ton œil angélique
Monte, comme dans un jardin mélancolique,
Fidèle, un blanc jet d'eau soupire vers l'Azur!
— Vers l'Azur attendri d'Octobre pâle et pur
Qui mire aux grands bassins sa langueur infinie
Et laisse, sur l'eau morte où la fauve agonie
Des feuilles erre au vent et creuse un froid sillon,
Se traîner le soleil jaune d'un long rayon.

Aumône

Prends ce sac, Mendiant! tu ne le cajolas
Sénile nourrisson d'une tétine avare
Afin de pièce à pièce en égoutter ton glas.

Tire du métal cher quelque péché bizarre
Et vaste comme nous, les poings pleins, le baisons
Souffles-y qu'il se torde! une ardente fanfare.

Église avec l'encens que toutes ces maisons
Sur les murs quand berceur d'une bleue éclaircie
Le tabac sans parler roule les oraisons,

Et l'opium puissant brise la pharmacie!
Robes et peau, veux-tu lacérer le satin
Et boire en la salive heureuse l'inertie,

Par les cafés princiers attendre le matin?
Les plafonds enrichis de nymphes et de voiles,
On jette, au mendiant de la vitre, un festin.

Et quand tu sors, vieux dieu, grelottant sous tes toiles
D'emballage, l'aurore est un lac de vin d'or
Et tu jures avoir au gosier les étoiles!

Faute de supputer l'éclat de ton trésor,
Tu peux du moins t'orner d'une plume, a complies
Servir un cierge au saint en qui tu crois encor.

Ne t'imagine pas que je dis des folies.
La terre s'ouvre vieille à qui crève la faim.
Je hais une autre aumône et veux que tu m'oublies.

Et surtout ne va pas, frère, acheter du pain.

Don du poëme

Je t'apporte l'enfant d'une nuit d'Idumée!
Noire, à l'aile saignante et pâle, déplumée,
Par le verre brûlé d'aromates et d'or,
Par les carreaux glacés, hélas! mornes encor,
L'aurore se jeta sur la lampe angélique.
Palmes! et quand elle a montré cette relique
A ce père essayant un sourire ennemi,
La solitude bleue et stérile a frémi.
O la berceuse, avec ta fille et l'innocence
De vos pieds froids, accueille une horrible naissance :
Et ta voix rappelant viole et clavecin,
Avec le doigt fané presseras-tu le sein
Par qui coule en blancheur sibylline la femme
Pour les lèvres que l'air du vierge azur affame ?

Autres poëmes

Hérodiade

I. OUVERTURE ANCIENNE D'HÉRODIADE

LA NOURRICE

(Incantation)

Abolie, et son aile affreuse dans les larmes
Du bassin, aboli, qui mire les alarmes,
Des ors nus fustigeant l'espace cramoisi,
Une Aurore a, plumage héraldique, choisi
Notre tour cinéraire et sacrificatrice,
Lourde tombe qu'a fuie un bel oiseau, caprice
Solitaire d'aurore au vain plumage noir...
Ah! des pays déchus et tristes le manoir!
Pas de clapotement! L'eau morne se résigne,
Que ne visite plus la plume ni le cygne

Inoubliable : l'eau reflète l'abandon
De l'automne éteignant en elle son brandon :
Du cygne quand parmi le pâle mausolée
Ou la plume plongea la tête, désolée
Par le diamant pur de quelque étoile, mais
Antérieure, qui ne scintilla jamais.
Crime! bûcher! aurore ancienne! supplice!
Pourpre d'un ciel! Étang de la pourpre complice!
Et sur les incarnats, grand ouvert, ce vitrail.

La chambre singulière en un cadre, attirail
De siècle belliqueux, orfèvrerie éteinte,
A le neigeux jadis pour ancienne teinte,
Et sa tapisserie, au lustre nacré, plis
Inutiles avec les yeux ensevelis
De sibylles offrant leur ongle vieil aux Mages.
Une d'elles, avec un passé de ramages
Sur ma robe blanchie en l'ivoire fermé
Au ciel d'oiseaux parmi l'argent noir parsemé,
Semble, de vols partir costumée et fantôme,
Un arôme qui porte, ô roses! un arôme,
Loin du lit vide qu'un cierge soufflé cachait,
Un arôme d'ors froids rôdant sur le sachet,
Une touffe de fleurs parjures à la lune
(A la cire expirée encor s'effeuille l'une),
De qui le long regret et les tiges de qui
Trempent en un seul verre à l'éclat alangui.
Une Aurore traînait ses ailes dans les larmes!

Ombre magicienne aux symboliques charmes!
Une voix, du passé longue évocation,
Est-ce la mienne prête à l'incantation?

Encore dans les plis jaunes de la pensée
Traînant, antique, ainsi qu'une étoile encensée
Sur un confus amas d'ostensoirs refroidis,
Par les trous anciens et par les plis roidis
Percés selon le rythme et les dentelles pures
Du suaire laissant par ses belles guipures
Désespéré monter le vieil éclat voilé
S'élève : (ô quel lointain en ces appels celé!)
Le vieil éclat voilé du vermeil insolite,
De la voix languissant, nulle, sans acolyte,
Jettera-t-il son or par dernières splendeurs,
Elle, encore, l'antienne aux versets demandeurs,
A l'heure d'agonie et de luttes funèbres!
Et, force du silence et des noires ténèbres
Tout rentre également en l'ancien passé,
Fatidique, vaincu, monotone, lassé,
Comme l'eau des bassins anciens se résigne.

Elle a chanté, parfois incohérente, signe
Lamentable!
        le lit aux pages de vélin,
Tel, inutile et si claustral, n'est pas le lin!
Qui des rêves par plis n'a plus le cher grimoire,
Ni le dais sépulcral à la déserte moire,
Le parfum des cheveux endormis. L'avait-il ?
Froide enfant, de garder en son plaisir subtil
Au matin grelottant de fleurs, ses promenades,
Et quand le soir méchant a coupé les grenades!
Le croissant, oui le seul est au cadran de fer
De l'horloge, pour poids suspendant Lucifer,
Toujours blesse, toujours une nouvelle heurée,
Par la clepsydre à la goutte obscure pleurée,
Que, délaissée, elle erre, et sur son ombre pas

Un ange accompagnant son indicible pas !
Il ne sait pas cela le roi qui salarie
Depuis longtemps la gorge ancienne est tarie.
Son père ne sait pas cela, ni le glacier
Farouche reflétant de ses armes l'acier,
Quand sur un tas gisant de cadavres sans coffre
Odorant de résine, énigmatique, il offre
Ses trompettes d'argent obscur aux vieux sapins !
Reviendra-t-il un jour des pays cisalpins !
Assez tôt ? Car tout est présage et mauvais rêve !
A l'ongle qui parmi le vitrage s'élève
Selon le souvenir des trompettes, le vieux
Ciel brûle, et change un doigt en un cierge envieux.
Et bientôt sa rougeur de triste crépuscule
Pénétrera du corps la cire qui recule !
De crépuscule, non, mais de rouge lever,
Lever du jour dernier qui vient tout achever,
Si triste se débat, que l'on ne sait plus l'heure
La rougeur de ce temps prophétique qui pleure
Sur l'enfant, exilée en son cœur précieux
Comme un cygne cachant en sa plume ses yeux,
Comme les mit le vieux cygne en sa plume, allée
De la plume détresse, en l'éternelle allée
De ses espoirs, pour voir les diamants élus
D'une étoile mourante, et qui ne brille plus.

II. SCÈNE

LA NOURRICE — HÉRODIADE

N.

Tu vis! ou vois-je ici l'ombre d'une princesse?
A mes lèvres tes doigts et leurs bagues et cesse
De marcher dans un âge ignoré...

H.

                              Reculez.
Le blond torrent de mes cheveux immaculés
Quand il baigne mon corps solitaire le glace
D'horreur, et mes cheveux que la lumière enlace
Sont immortels. O femme, un baiser me tûrait
Si la beauté n'était la mort...
                              Par quel attrait
Menée et quel matin oublié des prophètes
Verse, sur les lointains mourants, ses tristes fêtes,
Le sais-je? tu m'as vue, ô nourrice d'hiver,
Sous la lourde prison de pierres et de fer
Où de mes vieux lions traînent les siècles fauves
Entrer, et je marchais, fatale, les mains sauves,
Dans le parfum désert de ces anciens rois :
Mais encore as-tu vu quels furent mes effrois ?
Je m'arrête rêvant aux exils, et j'effeuille,
Comme près d'un bassin dont le jet d'eau m'accueille,
Les pâles lys qui sont en moi, tandis qu'épris
De suivre du regard les languides débris

Descendre, à travers ma rêverie, en silence,
Les lions, de ma robe écartent l'indolence
Et regardent mes pieds qui calmeraient la mer.
Calme, toi, les frissons de ta sénile chair,
Viens et ma chevelure imitant les manières
Trop farouches qui font votre peur des crinières,
Aide-moi, puisqu'ainsi tu n'oses plus me voir,
A me peigner nonchalamment dans un miroir.

N.

Sinon la myrrhe gaie en ses bouteilles closes,
De l'essence ravie aux vieillesses de roses,
Voulez-vous, mon enfant, essayer la vertu
Funèbre ?

H.

Laisse là ces parfums ! ne sais-tu
Que je les hais, nourrice, et veux-tu que je sente
Leur ivresse noyer ma tête languissante ?
Je veux que mes cheveux qui ne sont pas des fleurs
A répandre l'oubli des humaines douleurs,
Mais de l'or, à jamais vierge des aromates,
Dans leurs éclairs cruels et dans leurs pâleurs mates,
Observent la froideur stérile du métal,
Vous ayant reflétés, joyaux du mur natal,
Armes, vases depuis ma solitaire enfance.

N.

Pardon ! l'âge effaçait, reine, votre défense
De mon esprit pâli comme un vieux livre ou noir...

II.

Assez! Tiens devant moi ce miroir.

                        O miroir!
Eau froide par l'ennui dans ton cadre gelée
Que de fois et pendant des heures, désolée
Des songes et cherchant mes souvenirs qui sont
Comme des feuilles sous ta glace au trou profond,
Je m'apparus en toi comme une ombre lointaine,
Mais, horreur! des soirs, dans ta sévère fontaine,
J'ai de mon rêve épars connu la nudité!
Nourrice, suis-je belle?

N.

                     Un astre, en vérité
Mais cette tresse tombe...

H.

                    Arrête dans ton crime
Qui refroidit mon sang vers sa source, et réprime
Ce geste, impiété fameuse : ah! conte-moi
Quel sûr démon te jette en le sinistre émoi,
Ce baiser, ces parfums offerts et, le dirai-je?
O mon cœur, cette main encore sacrilège,
Car tu voulais, je crois, me toucher, sont un jour
Qui ne finira pas sans malheur sur la tour...
O jour qu'Hérodiade avec effroi regarde!

N.

Temps bizarre, en effet, de quoi le ciel vous garde!
Vous errez, ombre seule et nouvelle fureur,
Et regardant en vous précoce avec terreur;

Mais toujours adorable autant qu'une immortelle,
O mon enfant, et belle affreusement et telle
Que...

H.

Mais n'allais-tu pas me toucher ?

N.

                                ... J'aimerais
Être à qui le destin réserve vos secrets.

H.

Oh! tais-toi!

N.

Viendra-t-il parfois ?

H.

                       Étoiles pures,
N'entendez pas!

N.

            Comment, sinon parmi d'obscures
Épouvantes, songer plus implacable encor
Et comme suppliant le dieu que le trésor
De votre grâce attend! et pour qui, dévorée
D'angoisses, gardez-vous la splendeur ignorée
Et le mystère vain de votre être ?

H.

         Pour moi.

N.

Triste fleur qui croît seule et n'a pas d'autre émoi
Que son ombre dans l'eau vue avec atonie.

H.

Va, garde ta pitié comme ton ironie.

N.

Toutefois expliquez : oh! non, naïve enfant,
Décroîtra, quelque jour, ce dédain triomphant.

H.

Mais qui me toucherait, des lions respectée ?
Du reste, je ne veux rien d'humain et, sculptée,
Si tu me vois les yeux perdus au paradis,
C'est quand je me souviens de ton lait bu jadis.

N.

Victime lamentable à son destin offerte!

H.

Oui, c'est pour moi, pour moi, que je fleuris, déserte!
Vous le savez, jardins d'améthyste, enfouis
Sans fin dans de savants abîmes éblouis,
Ors ignorés, gardant votre antique lumière
Sous le sombre sommeil d'une terre première,
Vous, pierres où mes yeux comme de purs bijoux
Empruntent leur clarté mélodieuse, et vous

Métaux qui donnez à ma jeune chevelure
Une splendeur fatale et sa massive allure!
Quant à toi, femme née en des siècles malins
Pour la méchanceté des antres sibyllins,
Qui parles d'un mortel! selon qui, des calices
De mes robes, arôme aux farouches délices,
Sortirait le frisson blanc de ma nudité,
Prophétise que si le tiède azur d'été,
Vers lui nativement la femme se dévoile,
Me voit dans ma pudeur grelottante d'étoile,
Je meurs!

       J'aime l'horreur d'être vierge et je veux
Vivre parmi l'effroi que me font mes cheveux
Pour, le soir, retirée en ma couche, reptile
Inviolé sentir en la chair inutile
Le froid scintillement de ta pâle clarté
Toi qui te meurs, toi qui brûles de chasteté,
Nuit blanche de glaçons et de neige cruelle!
Et ta sœur solitaire, ô ma sœur éternelle
Mon rêve montera vers toi : telle déjà,
Rare limpidité d'un cœur qui le songea,
Je me crois seule en ma monotone patrie
Et tout, autour de moi, vit dans l'idolâtrie
D'un miroir qui reflète en son calme dormant
Hérodiade au clair regard de diamant...
O charme dernier, oui! je le sens, je suis seule.

N.

Madame, allez-vous donc mourir?

Non, pauvre aïeule,
Sois calme et, t'éloignant, pardonne à ce cœur dur,
Mais avant, si tu veux, clos les volets, l'azur
Séraphique sourit dans les vitres profondes,
Et je déteste, moi, le bel azur !

Des ondes
Se bercent et, là-bas, sais-tu pas un pays
Où le sinistre ciel ait les regards haïs
De Vénus qui, le soir, brûle dans le feuillage :
J'y partirais.

Allume encore, enfantillage
Dis-tu, ces flambeaux où la cire au feu léger
Pleure parmi l'or vain quelque pleur étranger
Et...

N.

Maintenant ?

H.

Adieu.
Vous mentez, ô fleur nue
De mes lèvres.
J'attends une chose inconnue
Ou peut-être, ignorant le mystère et vos cris,
Jetez-vous les sanglots suprêmes et meurtris
D'une enfance sentant parmi les rêveries
Se séparer enfin ses froides pierreries.

Le soleil que sa halte
Surnaturelle exalte
Aussitôt redescend
    Incandescent

Je sens comme aux vertèbres
S'éployer des ténèbres
Toutes dans un frisson
    A l'unisson

Et ma tête surgie
Solitaire vigie
Dans les vols triomphaux
    De cette faux

Comme rupture franche
Plutôt refoule ou tranche
Les anciens désaccords
    Avec le corps

Qu'elle de jeûnes ivre
S'opiniâtre à suivre
En quelque bond hagard
    Son pur regard

Là-haut où la froidure
Éternelle n'endure
Que vous le surpassiez
    Tous ô glaciers

Mais selon un baptême
Illuminée au même
Principe qui m'élut
Penche un salut.

L'après-midi d'un faune

Églogue.

Ces nymphes, je les veux perpétuer.
       Si clair,
Leur incarnat léger, qu'il voltige dans l'air
Assoupi de sommeils touffus.

       Aimai-je un rêve?
Mon doute, amas de nuit ancienne, s'achève
En maint rameau subtil, qui, demeuré les vrais
Bois mêmes, prouve, hélas! que bien seul je m'offrais
Pour triomphe la faute idéale de roses.
Réfléchissons...

      ou si les femmes dont tu gloses
Figurent un souhait de tes sens fabuleux!
Faune, l'illusion s'échappe des yeux bleus
Et froids, comme une source en pleurs, de la plus chaste :
Mais, l'autre tout soupirs, dis-tu qu'elle contraste

Comme brise du jour chaude dans ta toison?
Que non! par l'immobile et lasse pâmoison
Suffoquant de chaleurs le matin frais s'il lutte,
Ne murmure point d'eau que ne verse ma flûte
Au bosquet arrosé d'accords; et le seul vent
Hors des deux tuyaux prompt à s'exhaler avant
Qu'il disperse le son dans une pluie aride,
C'est, à l'horizon pas remué d'une ride,
Le visible et serein souffle artificiel
De l'inspiration, qui regagne le ciel.

O bords siciliens d'un calme marécage
Qu'à l'envi de soleils ma vanité saccage,
Tacite sous les fleurs d'étincelles, CONTEZ
« *Que je coupais ici les creux roseaux domptés*
» *Par le talent; quand, sur l'or glauque de lointaines*
» *Verdures dédiant leur vigne à des fontaines,*
» *Ondoie une blancheur animale au repos:*
» *Et qu'au prélude lent où naissent les pipeaux*
» *Ce vol de cygnes, non! de naïades se sauve*
» *Ou plonge...* »

             Inerte, tout brûle dans l'heure fauve
Sans marquer par quel art ensemble détala
Trop d'hymen souhaité de qui cherche le *la*:
Alors m'éveillerai-je à la ferveur première,
Droit et seul, sous un flot antique de lumière,
Lys! et l'un de vous tous pour l'ingénuité.

Autre que ce doux rien par leur lèvre ébruité,
Le baiser, qui tout bas des perfides assure,
Mon sein, vierge de preuve, atteste une morsure

Mystérieuse, due à quelque auguste dent;
Mais, bast! arcane tel élut pour confident
Le jonc vaste et jumeau dont sous l'azur on joue :
Qui, détournant à soi le trouble de la joue,
Rêve, dans un solo long, que nous amusions
La beauté d'alentour par des confusions
Fausses entre elle-même et notre chant crédule;
Et de faire aussi haut que l'amour se module
Évanouir du songe ordinaire de dos
Ou de flanc pur suivis avec mes regards clos,
Une sonore, vaine et monotone ligne.

Tâche donc, instrument des fuites, ô maligne
Syrinx, de refleurir aux lacs où tu m'attends!
Moi, de ma rumeur fier, je vais parler longtemps
Des déesses; et par d'idolâtres peintures,
A leur ombre enlever encore des ceintures :
Ainsi, quand des raisins j'ai sucé la clarté,
Pour bannir un regret par ma feinte écarté,
Rieur, j'élève au ciel d'été la grappe vide
Et, soufflant dans ses peaux lumineuses, avide
D'ivresse, jusqu'au soir je regarde au travers.

O nymphes, regonflons des SOUVENIRS divers.
« *Mon œil, trouant les joncs, dardait chaque encolure*
» *Immortelle, qui noie en l'onde sa brûlure*
» *Avec un cri de rage au ciel de la forêt ;* \
» *Et le splendide bain de cheveux disparaît*
» *Dans les clartés et les frissons, ô pierreries !*
» *J'accours ; quand, à mes pieds, s'entrejoignent (meurtries*
» *De la langueur goûtée à ce mal d'être deux)*
» *Des dormeuses parmi leurs seuls bras hasardeux ;*

» *Je les ravis, sans les désenlacer, et vole*
» *A ce massif, haï par l'ombrage frivole,*
» *De roses tarissant tout parfum au soleil,*
» *Où notre ébat au jour consumé soit pareil.* »
Je t'adore, courroux des vierges, ô délice
Farouche du sacré fardeau nu qui se glisse
Pour fuir ma lèvre en feu buvant, comme un éclair
Tressaille! la frayeur secrète de la chair :
Des pieds de l'inhumaine au cœur de la timide
Que délaisse à la fois une innocence, humide
De larmes folles ou de moins tristes vapeurs.
« *Mon crime, c'est d'avoir, gai de vaincre ces peurs*
» *Traîtresses, divisé la touffe échevelée*
» *De baisers que les dieux gardaient si bien mêlée :*
» *Car, à peine j'allais cacher un rire ardent*
» *Sous les replis heureux d'une seule (gardant*
» *Par un doigt simple, afin que sa candeur de plume*
» *Se teignît à l'émoi de sa sœur qui s'allume,*
» *La petite, naïve et ne rougissant pas :)*
» *Que de mes bras, défaits par de vagues trépas,*
» *Cette proie, à jamais ingrate se délivre*
» *Sans pitié du sanglot dont j'étais encore ivre.* »

Tant pis! vers le bonheur d'autres m'entraîneront
Par leur tresse nouée aux cornes de mon front :
Tu sais, ma passion, que, pourpre et déjà mûre,
Chaque grenade éclate et d'abeilles murmure;
Et notre sang, épris de qui le va saisir,
Coule pour tout l'essaim éternel du désir.
A l'heure où ce bois d'or et de cendres se teinte
Une fête s'exalte en la feuillée éteinte :
Etna! c'est parmi toi visité de Vénus
Sur ta lave posant ses talons ingénus,

Quand tonne un somme triste ou s'épuise la flamme.
Je tiens la reine!

        O sûr châtiment...
                          Non, mais l'âme
De paroles vacante et ce corps alourdi
Tard succombent au fier silence de midi :
Sans plus il faut dormir en l'oubli du blasphème,
Sur le sable altéré gisant et comme j'aime
Ouvrir ma bouche à l'astre efficace des vins!

Couple, adieu; je vais voir l'ombre que tu devins.

La chevelure...

La chevelure vol d'une flamme à l'extrême
Occident de désirs pour la tout déployer
Se pose (je dirais mourir un diadème)
Vers le front couronné son ancien foyer

Mais sans or soupirer que cette vive nue
L'ignition du feu toujours intérieur
Originellement la seule continue
Dans le joyau de l'œil véridique ou rieur

Une nudité de héros tendre diffame
Celle qui ne mouvant astre ni feux au doigt
Rien qu'à simplifier avec gloire la femme
Accomplit par son chef fulgurante l'exploit

De semer de rubis le doute qu'elle écorche
Ainsi qu'une joyeuse et tutélaire torche.

Sainte

A la fenêtre recelant
Le santal vieux qui se dédore
De sa viole étincelant
Jadis avec flûte ou mandore,

Est la Sainte pâle, étalant
Le livre vieux qui se déplie
Du Magnificat ruisselant
Jadis selon vêpre et complie :

A ce vitrage d'ostensoir
Que frôle une harpe par l'Ange
Formée avec son vol du soir
Pour la délicate phalange

Du doigt que, sans le vieux santal
Ni le vieux livre, elle balance
Sur le plumage instrumental,
Musicienne du silence.

Toast funèbre

O de notre bonheur, toi, le fatal emblème!
Salut de la démence et libation blême,
Ne crois pas qu'au magique espoir du corridor
J'offre ma coupe vide où souffre un monstre d'or!
Ton apparition ne va pas me suffire :
Car je t'ai mis, moi-même, en un lieu de porphyre.
Le rite est pour les mains d'éteindre le flambeau
Contre le fer épais des portes du tombeau :
Et l'on ignore mal, élu pour notre fête
Très simple de chanter l'absence du poëte,
Que ce beau monument l'enferme tout entier.
Si ce n'est que la gloire ardente du métier,
Jusqu'à l'heure commune et vile de la cendre,
Par le carreau qu'allume un soir fier d'y descendre,
Retourne vers les feux du pur soleil mortel!

Magnifique, total et solitaire, tel
Tremble de s'exhaler le faux orgueil des hommes.
Cette foule hagarde! elle annonce : Nous sommes
La triste opacité de nos spectres futurs.
Mais le blason des deuils épars sur de vains murs
J'ai méprisé l'horreur lucide d'une larme,

Quand, sourd même à mon vers sacré qui ne l'alarme
Quelqu'un de ces passants, fier, aveugle et muet,
Hôte de son linceul vague, se transmuait
En le vierge héros de l'attente posthume.
Vaste gouffre apporté dans l'amas de la brume
Par l'irascible vent des mots qu'il n'a pas dits,
Le néant à cet Homme aboli de jadis :
« Souvenirs d'horizons, qu'est-ce, ô toi, que la Terre? »
Hurle ce songe; et, voix dont la clarté s'altère,
L'espace a pour jouet le cri : « Je ne sais pas! »

Le Maître, par un œil profond, a, sur ses pas,
Apaisé de l'éden l'inquiète merveille
Dont le frisson final, dans sa voix seule, éveille
Pour la Rose et le Lys le mystère d'un nom.
Est-il de ce destin rien qui demeure, non?
O vous tous, oubliez une croyance sombre.
Le splendide génie éternel n'a pas d'ombre.
Moi, de votre désir soucieux, je veux voir,
A qui s'évanouit, hier, dans le devoir
Idéal que nous font les jardins de cet astre,
Survivre pour l'honneur du tranquille désastre
Une agitation solennelle par l'air
De paroles, pourpre ivre et grand calice clair,
Que, pluie et diamant, le regard diaphane
Reste là sur ces fleurs dont nulle ne se fane,
Isole parmi l'heure et le rayon du jour!

C'est de nos vrais bosquets déjà tout le séjour,
Où le poëte pur a pour geste humble et large
De l'interdire au rêve, ennemi de sa charge :
Afin que le matin de son repos altier,

Quand la mort ancienne et comme pour Gautier
De n'ouvrir pas les yeux sacrés et de se taire,
Surgisse, de l'allée ornement tributaire,
Le sépulcre solide où gît tout ce qui nuit,
Et l'avare silence et la massive nuit.

Prose

pour des Esseintes.

Hyperbole! de ma mémoire
Triomphalement ne sais-tu
Te lever, aujourd'hui grimoire
Dans un livre de fer vêtu :

Car j'installe, par la science,
L'hymne des cœurs spirituels
En l'œuvre de ma patience,
Atlas, herbiers et rituels.

Nous promenions notre visage
(Nous fûmes deux, je le maintiens)
Sur maints charmes de paysage,
O sœur, y comparant les tiens.

L'ère d'autorité se trouble
Lorsque, sans nul motif, on dit
De ce midi que notre double
Inconscience approfondit

Que, sol des cent iris, son site,
Ils savent s'il a bien été,
Ne porte pas de nom que cite
L'or de la trompette d'Été.

Oui, dans une île que l'air charge
De vue et non de visions
Toute fleur s'étalait plus large
Sans que nous en devisions.

Telles, immenses, que chacune
Ordinairement se para
D'un lucide contour, lacune,
Qui des jardins la sépara.

Gloire du long désir, Idées
Tout en moi s'exaltait de voir
La famille des iridées
Surgir à ce nouveau devoir,

Mais cette sœur sensée et tendre
Ne porta son regard plus loin
Que sourire et, comme à l'entendre
J'occupe mon antique soin.

Oh! sache l'Esprit de litige,
A cette heure où nous nous taisons,
Que de lis multiples la tige
Grandissait trop pour nos raisons

Et non comme pleure la rive,
Quand son jeu monotone ment
A vouloir que l'ampleur arrive
Parmi mon jeune étonnement

D'ouïr tout le ciel et la carte
Sans fin attestés sur mes pas,
Par le flot même qui s'écarte,
Que ce pays n'exista pas.

L'enfant abdique son extase
Et docte déjà par chemins
Elle dit le mot : Anastase !
Né pour d'éternels parchemins,

Avant qu'un sépulcre ne rie
Sous aucun climat, son aïeul,
De porter ce nom : Pulchérie !
Caché par le trop grand glaïeul.

Éventail

de Madame Mallarmé.

Avec comme pour langage
Rien qu'un battement aux cieux
Le futur vers se dégage
Du logis très précieux

Aile tout bas la courrière
Cet éventail si c'est lui
Le même par qui derrière
Toi quelque miroir a lui

Limpide (où va redescendre
Pourchassée en chaque grain
Un peu d'invisible cendre
Seule à me rendre chagrin)

Toujours tel il apparaisse
Entre tes mains sans paresse.

Autre éventail

de *Mademoiselle Mallarmé*.

O rêveuse, pour que je plonge
Au pur délice sans chemin,
Sache, par un subtil mensonge,
Garder mon aile dans ta main.

Une fraîcheur de crépuscule
Te vient à chaque battement
Dont le coup prisonnier recule
L'horizon délicatement.

Vertige! voici que frissonne
L'espace comme un grand baiser
Qui, fou de naître pour personne,
Ne peut jaillir ni s'apaiser.

Sens-tu le paradis farouche
Ainsi qu'un rire enseveli
Se couler du coin de ta bouche
Au fond de l'unanime pli!

Le sceptre des rivages roses
Stagnants sur les soirs d'or, ce l'est,
Ce blanc vol fermé que tu poses
Contre le feu d'un bracelet.

Éventail

De frigides roses pour vivre
Toutes la même interrompront
Avec un blanc calice prompt
Votre souffle devenu givre

Mais que mon battement délivre
La touffe par un choc profond
Cette frigidité se fond
En du rire de fleurir ivre

A jeter le ciel en détail
Voilà comme bon éventail
Tu conviens mieux qu'une fiole

Nul n'enfermant à l'émeri
Sans qu'il y perde ou le viole
L'arôme émané de Méry.

1890.

Feuillets d'album

Feuillet d'album

Tout à coup et comme par jeu
Mademoiselle qui voulûtes
Ouïr se révéler un peu
Le bois de mes diverses flûtes

Il me semble que cet essai
Tenté devant un paysage
A du bon quand je le cessai
Pour vous regarder au visage

Oui ce vain souffle que j'exclus
Jusqu'à la dernière limite
Selon mes quelques doigts perclus
Manque de moyens s'il imite

Votre très naturel et clair
Rire d'enfant qui charme l'air.

Remémoration d'amis belges

A des heures et sans que tel souffle l'émeuve
Toute la vétusté presque couleur encens
Comme furtive d'elle et visible je sens
Que se dévêt pli selon pli la pierre veuve

Flotte ou semble par soi n'apporter une preuve
Sinon d'épandre pour baume antique le temps
Nous immémoriaux quelques-uns si contents
Sur la soudaineté de notre amitié neuve

O très chers rencontrés en le jamais banal
Bruges multipliant l'aube au défunt canal
Avec la promenade éparse de maint cygne

Quand solennellement cette cité m'apprit
Lesquels entre ses fils un autre vol désigne
A prompte irradier ainsi qu'aile l'esprit.

Sonnet

Dame
       sans trop d'ardeur à la fois enflammant
La rose qui cruelle ou déchirée et lasse
Même du blanc habit de pourpre le délace
Pour ouïr dans sa chair pleurer le diamant

Oui sans ces crises de rosée et gentiment
Ni brise quoique, avec, le ciel orageux passe
Jalouse d'apporter je ne sais quel espace
Au simple jour le jour très vrai du sentiment,

Ne te semble-t-il pas, disons, que chaque année
Dont sur ton front renaît la grâce spontanée
Suffise selon quelque apparence et pour moi

Comme un éventail frais dans la chambre s'étonne
A raviver du peu qu'il faut ici d'émoi
Toute notre native amitié monotone.

Sonnet

O si chère de loin et proche et blanche, si
Délicieusement toi, Mary, que je songe
A quelque baume rare émané par mensonge
Sur aucun bouquetier de cristal obscurci

Le sais-tu, oui! pour moi voici des ans, voici
Toujours que ton sourire éblouissant prolonge
La même rose avec son bel été qui plonge
Dans autrefois et puis dans le futur aussi.

Mon cœur qui dans les nuits parfois cherche à s'entendre
Ou de quel dernier mot t'appeler le plus tendre
S'exalte en celui rien que chuchoté de sœur

N'était, très grand trésor et tête si petite,
Que tu m'enseignes bien toute une autre douceur.
Tout bas par le baiser seul dans tes cheveux dite.

Rondels

I

Rien au réveil que vous n'ayez
Envisagé de quelque moue
Pire si le rire secoue
Votre aile sur les oreillers

Indifféremment sommeillez
Sans crainte qu'une haleine avoue
Rien au réveil que vous n'ayez
Envisagé de quelque moue

Tous les rêves émerveillés
Quand cette beauté les déjoue
Ne produisent fleur sur la joue
Dans l'œil diamants impayés
Rien au réveil que vous n'ayez.

Si tu veux nous nous aimerons
Avec tes lèvres sans le dire
Cette rose ne l'interromps
Qu'à verser un silence pire

Jamais de chants ne lancent prompts
Le scintillement du sourire
Si tu veux nous nous aimerons
Avec tes lèvres sans le dire

Muet muet entre les ronds
Sylphe dans la pourpre d'empire
Un baiser flambant se déchire
Jusqu'aux pointes des ailerons
Si tu veux nous nous aimerons.

Chansons bas

I. LE SAVETIER

Hors de la poix rien à faire,
Le lys naît blanc, comme odeur
Simplement je le préfère
A ce bon raccommodeur.

Il va de cuir à ma paire
Adjoindre plus que je n'eus
Jamais, cela désespère
Un besoin de talons nus.

Son marteau qui ne dévie
Fixe de clous gouailleurs
Sur la semelle l'envie
Toujours conduisant ailleurs.

Il recréerait des souliers,
O pieds! si vous le vouliez!

II. LA MARCHANDE D'HERBES
AROMATIQUES

Ta paille azur de lavandes,
Ne crois pas avec ce cil
Osé que tu me la vendes
Comme à l'hypocrite s'il

En tapisse la muraille
De lieux les absolus lieux
Pour le ventre qui se raille
Renaître aux sentiments bleus.

Mieux entre une envahissante
Chevelure ici mets-la
Que le brin salubre y sente,
Zéphirine, Paméla

Ou conduise vers l'époux
Les prémices de tes poux.

III. LE CANTONNIER

Ces cailloux, tu les nivelles
Et c'est, comme troubadour,
Un cube aussi de cervelles
Qu'il me faut ouvrir par jour.

IV. LE MARCHAND D'AIL ET D'OIGNONS

L'ennui d'aller en visite
Avec l'ail nous l'éloignons.
L'élégie au pleur hésite
Peu si je fends des oignons.

V. LA FEMME DE L'OUVRIER

La femme, l'enfant, la soupe
En chemin pour le carrier
Le complimentent qu'il coupe
Dans l'us de se marier.

VI. LE VITRIER

Le pur soleil qui remise
Trop d'éclat pour l'y trier
Ote ébloui sa chemise
Sur le dos du vitrier.

VII. LE CRIEUR D'IMPRIMÉS

Toujours, n'importe le titre,
Sans même s'enrhumer au
Dégel, ce gai siffle-litre
Crie un premier numéro.

VIII. LA MARCHANDE D'HABITS

Le vif œil dont tu regardes
Jusques à leur contenu
Me sépare de mes hardes
Et comme un dieu je vais nu.

Billet à Whistler

Pas les rafales à propos
De rien comme occuper la rue
Sujette au noir vol de chapeaux;
Mais une danseuse apparue

Tourbillon de mousseline ou
Fureur éparses en écumes
Que soulève par son genou
Celle même dont nous vécûmes

Pour tout, hormis lui, rebattu
Spirituelle, ïvre, immobile
Foudroyer avec le tutu,
Sans se faire autrement de bile

Sinon rieur que puisse l'air
De sa jupe éventer Whistler.

Petit air

I

Quelconque une solitude
Sans le cygne ni le quai
Mire sa désuétude
Au regard que j'abdiquai

Ici de la gloriole
Haute à ne la pas toucher
Dont maint ciel se bariole
Avec les ors de coucher

Mais langoureusement longe
Comme de blanc linge ôté
Tel fugace oiseau si plonge
Exultatrice à côté

Dans l'onde toi devenue
Ta jubilation nue.

Petit air

II

Indomptablement a dû
Comme mon espoir s'y lance
Éclater là-haut perdu
Avec furie et silence,

Voix étrangère au bosquet
Ou par nul écho suivie,
L'oiseau qu'on n'ouït jamais
Une autre fois en la vie.

Le hagard musicien,
Cela dans le doute expire
Si de mon sein pas du sien
A jailli le sanglot pire

Déchiré va-t-il entier
Rester sur quelque sentier !

Petit air

(GUERRIER)

Ce me va hormis l'y taire
Que je sente du foyer
Un pantalon militaire
A ma jambe rougeoyer

L'invasion je la guette
Avec le vierge courroux
Tout juste de la baguette
Au gant blanc des tourlourous

Nue ou d'écorce tenace
Pas pour battre le Teuton
Mais comme une autre menace
A la fin que me veut-on

De trancher ras cette ortie
Folle de la sympathie.

Plusieurs sonnets

I

Quand l'ombre menaça de la fatale loi
Tel vieux Rêve, désir et mal de mes vertèbres,
Affligé de périr sous les plafonds funèbres
Il a ployé son aile indubitable en moi.

Luxe, ô salle d'ébène où, pour séduire un roi
Se tordent dans leur mort des guirlandes célèbres,
Vous n'êtes qu'un orgueil menti par les ténèbres
Aux yeux du solitaire ébloui de sa foi.

Oui, je sais qu'au lointain de cette nuit, la Terre
Jette d'un grand éclat l'insolite mystère,
Sous les siècles hideux qui l'obscurcissent moins.

L'espace à soi pareil qu'il s'accroisse ou se nie
Roule dans cet ennui des feux vils pour témoins
Que s'est d'un astre en fête allumé le génie.

Le vierge, le vivace et le bel aujourd'hui
Va-t-il nous déchirer avec un coup d'aile ivre
Ce lac dur oublié que hante sous le givre
Le transparent glacier des vols qui n'ont pas fui !

Un cygne d'autrefois se souvient que c'est lui
Magnifique mais qui sans espoir se délivre
Pour n'avoir pas chanté la région où vivre
Quand du stérile hiver a resplendi l'ennui.

Tout son col secouera cette blanche agonie
Par l'espace infligé à l'oiseau qui le nie,
Mais non l'horreur du sol où le plumage est pris.

Fantôme qu'à ce lieu son pur éclat assigne,
Il s'immobilise au songe froid de mépris
Que vêt parmi l'exil inutile le Cygne.

III

Victorieusement fui le suicide beau
Tison de gloire, sang par écume, or, tempête !
O rire si là-bas une pourpre s'apprête
A ne tendre royal que mon absent tombeau.

Quoi! de tout cet éclat pas même le lambeau
S'attarde, il est minuit, à l'ombre qui nous fête
Excepté qu'un trésor présomptueux de tête
Verse son caressé nonchaloir sans flambeau,

La tienne si toujours le délice! la tienne
Oui seule qui du ciel évanoui retienne
Un peu de puéril triomphe en t'en coiffant

Avec clarté quand sur les coussins tu la poses
Comme un casque guerrier d'impératrice enfant
Dont pour te figurer il tomberait des roses.

IV

Ses purs ongles très haut dédiant leur onyx,
L'Angoisse, ce minuit, soutient, lampadophore,
Maint rêve vespéral brûlé par le Phénix
Que ne recueille pas de cinéraire amphore

Sur les crédences, au salon vide : nul ptyx,
Aboli bibelot d'inanité sonore,
(Car le Maître est allé puiser des pleurs au Styx
Avec ce seul objet dont le Néant s'honore.)

Mais proche la croisée au nord vacante, un or
Agonise selon peut-être le décor
Des licornes ruant du feu contre une nixe,

Elle, défunte nue en le miroir, encor
Qué, dans l'oubli fermé par le cadre, se fixe
De scintillations sitôt le septuor.

Hommages et tombeaux

Sonnet

(Pour votre chère morte, son ami.)
2 novembre 1877.

— « Sur les bois oubliés quand passe l'hiver sombre
Tu te plains, ô captif solitaire du seuil,
Que ce sépulcre à deux qui fera notre orgueil
Hélas! du manque seul des lourds bouquets s'encombre.

Sans écouter Minuit qui jeta son vain nombre,
Une veille t'exalte à ne pas fermer l'œil
Avant que dans les bras de l'ancien fauteuil
Le suprême tison n'ait éclairé mon Ombre.

Qui veut souvent avoir la Visite ne doit
Par trop de fleurs charger la pierre que mon doigt
Soulève avec l'ennui d'une force défunte.

Ame au si clair foyer tremblante de m'asseoir,
Pour revivre il suffit qu'à tes lèvres j'emprunte
Le souffle de mon nom murmuré tout un soir. »

Le tombeau d'Edgar Poe

Tel qu'en Lui-même enfin l'éternité le change,
Le Poëte suscite avec un glaive nu
Son siècle épouvanté de n'avoir pas connu
Que la mort triomphait dans cette voix étrange!

Eux, comme un vil sursaut d'hydre oyant jadis l'ange
Donner un sens plus pur aux mots de la tribu
Proclamèrent très haut le sortilège bu
Dans le flot sans honneur de quelque noir mélange.

Du sol et de la nue hostiles, ô grief!
Si notre idée avec ne sculpte un bas-relief
Dont la tombe de Poe éblouissante s'orne,

Calme bloc ici-bas chu d'un désastre obscur,
Que ce granit du moins montre à jamais sa borne
Aux noirs vols du Blasphème épars dans le futur.

Le tombeau
de Charles Baudelaire

Le temple enseveli divulgue par la bouche
Sépulcrale d'égout bavant boue et rubis
Abominablement quelque idole Anubis
Tout le museau flambé comme un aboi farouche

Ou que le gaz récent torde la mèche louche
Essuyeuse on le sait des opprobres subis
Il allume hagard un immortel pubis
Dont le vol selon le réverbère découche

Quel feuillage séché dans les cités sans soir
Votif pourra bénir comme elle se rasseoir
Contre le marbre vainement de Baudelaire

Au voile qui la ceint absente avec frissons
Celle son Ombre même un poison tutélaire
Toujours à respirer si nous en périssons.

Tombeau

Anniversaire — Janvier 1897.

Le noir roc courroucé que la bise le roule
Ne s'arrêtera ni sous de pieuses mains
Tâtant sa ressemblance avec les maux humains
Comme pour en bénir quelque funeste moule.

Ici presque toujours si le ramier roucoule
Cet immatériel deuil opprime de maints
Nubiles plis l'astre mûri des lendemains
Dont un scintillement argentera la foule.

Qui cherche, parcourant le solitaire bond
Tantôt extérieur de notre vagabond —
Verlaine? Il est caché parmi l'herbe, Verlaine

A ne surprendre que naïvement d'accord
La lèvre sans y boire ou tarir son haleine
Un peu profond ruisseau calomnié la mort.

Hommage

Le silence déjà funèbre d'une moire
Dispose plus qu'un pli seul sur le mobilier
Que doit un tassement du principal pilier
Précipiter avec le manque de mémoire.

Notre si vieil ébat triomphal du grimoire,
Hiéroglyphes dont s'exalte le millier
A propager de l'aile un frisson familier!
Enfouissez-le-moi plutôt dans une armoire.

Du souriant fracas originel haï
Entre elles de clartés maîtresses a jailli
Jusque vers un parvis né pour leur simulacre,

Trompettes tout haut d'or pâmé sur les vélins,
Le dieu Richard Wagner irradiant un sacre
Mal tu par l'encre même en sanglots sibyllins.

Hommage

Toute Aurore même gourde
A crisper un poing obscur
Contre des clairons d'azur
Embouchés par cette sourde

A le pâtre avec la gourde
Jointe au bâton frappant dur
Le long de son pas futur
Tant que la source ample sourde

Par avance ainsi tu vis
O solitaire Puvis
De Chavannes
          jamais seu

De conduire le temps boire
A la nymphe sans linceul
Que lui découvre ta Gloire.

Au seul souci de voyager
Outre une Inde splendide et trouble
— Ce salut soit le messager
Du temps, cap que ta poupe double

Comme sur quelque vergue bas
Plongeante avec la caravelle
Écumait toujours en ébats
Un oiseau d'annonce nouvelle

Qui criait monotonement
Sans que la barre ne varie
Un inutile gisement
Nuit, désespoir et pierrerie

Par son chant reflété jusqu'au
Sourire du pâle Vasco.

*

Toute l'âme résumée
Quand lente nous l'expirons
Dans plusieurs ronds de fumée
Abolis en autres ronds

Atteste quelque cigare
Brûlant savamment pour peu
Que la cendre se sépare
De son clair baiser de feu

Ainsi le chœur des romances
A la lèvre vole-t-il
Exclus-en si tu commences
Le réel parce que vil

Le sens trop précis rature
Ta vague littérature.

Autres poëmes et sonnets

I

Tout Orgueil fume-t-il du soir,
Torche dans un branle étouffée
Sans que l'immortelle bouffée
Ne puisse à l'abandon surseoir!

La chambre ancienne de l'hoir
De maint riche mais chu trophée
Ne serait pas même chauffée
S'il survenait par le couloir.

Affres du passé nécessaires
Agrippant comme avec des serres
Le sépulcre de désaveu,

Sous un marbre lourd qu'elle isole
Ne s'allume pas d'autre feu
Que la fulgurante console.

II

Surgi de la croupe et du bond
D'une verrerie éphémère
Sans fleurir la veillée amère
Le col ignoré s'interrompt.

Je crois bien que deux bouches n'ont
Bu, ni son amant ni ma mère,
Jamais à la même Chimère,
Moi, sylphe de ce froid plafond !

Le pur vase d'aucun breuvage
Que l'inexhaustible veuvage
Agonise mais ne consent,

Naïf baiser des plus funèbres
A rien expirer annonçant
Une rose dans les ténèbres.

III

Une dentelle s'abolit
Dans le doute du Jeu suprême
A n'entr'ouvrir comme un blasphème
Qu'absence éternelle de lit.

Cet unanime blanc conflit
D'une guirlande avec la même,
Enfui contre la vitre blême
Flotte plus qu'il n'ensevelit.

Mais, chez qui du rêve se dore
Tristement dort une mandore
Au creux néant musicien

Telle que vers quelque fenêtre
Selon nul ventre que le sien,
Filial on aurait pu naître.

*

Quelle soie aux baumes de temps
Où la Chimère s'exténue
Vaut la torse et native nue
Que, hors de ton miroir, tu tends!

Les trous de drapeaux méditants
S'exaltent dans notre avenue :
Moi, j'ai ta chevelure nue
Pour enfouir mes yeux contents.

Non! La bouche ne sera sûre
De rien goûter à sa morsure,
S'il ne fait, ton princier amant,

Dans la considérable touffe
Expirer, comme un diamant,
Le cri des Gloires qu'il étouffe.

M'introduire dans ton histoire
C'est en héros effarouché
S'il a du talon nu touché
Quelque gazon de territoire

A des glaciers attentatoire
Je ne sais le naïf péché
Que tu n'auras pas empêché
De rire très haut sa victoire

Dis si je ne suis pas joyeux
Tonnerre et rubis aux moyeux
De voir en l'air que ce feu troue

Avec des royaumes épars
Comme mourir pourpre la roue
Du seul vespéral de mes chars.

*

A la nue accablante tu
Basse de basalte et de laves
A même les échos esclaves
Par une trompe sans vertu

Quel sépulcral naufrage (tu
Le sais, écume, mais y baves)
Suprême une entre les épaves
Abolit le mât dévêtu

Ou cela que furibond faute
De quelque perdition haute
Tout l'abîme vain éployé

Dans le si blanc cheveu qui traîne
Avarement aura noyé
Le flanc enfant d'une sirène.

*

Mes bouquins refermés sur le nom de Paphos,
Il m'amuse d'élire avec le seul génie
Une ruine, par mille écumes bénie
Sous l'hyacinthe, au loin, de ses jours triomphaux.

Coure le froid avec ses silences de faux,
Je n'y hululerai pas de vide nénie
Si ce très blanc ébat au ras du sol dénie
A tout site l'honneur du paysage faux.

Ma faim qui d'aucuns fruits ici ne se régale
Trouve en leur docte manque une saveur égale :
Qu'un éclate de chair humain et parfumant!

Le pied sur quelque guivre où notre amour tisonne
Je pense plus longtemps peut-être éperdument
A l'autre, au sein brûlé d'une antique amazone.

Bibliographie de l'édition de 1898

Ce cahier, sauf intercalation de peu de pièces jetées plutôt en culs-de-lampe sur les marges :

Salut
Éventail de Madame Mallarmé
Feuillet d'Album
Remémoration d'amis belges
Chansons bas I et II
Billet à Whistler
Petit air I et II,

et les sonnets :

Le Tombeau de Charles Baudelaire
A la nue accablante...

suit l'ordre, sans le groupement, présenté par l'Édition fac-similé faite sur le manuscrit de l'auteur en 1887.

A quelques corrections près, introduites avec la réimpression Académique, le texte reste celui de la belle publication souscrite puis envolée à tant d'enchères, qui le fixa. Sa rareté se fleurissait, en le format original déjà, du chef-d'œuvre de Rops.

Pas de leçon antérieure ici donnée en tant que variante.

Beaucoup de ces poëmes, ou études en vue de mieux, comme on essaie les becs de sa plume avant de se mettre à l'œuvre, ont été distraits de leur carton par les impatiences amies de Revues en quête de leur numéro d'apparition : et première note de projets, en points de repère, qui fixent, trop rares ou trop nombreux, selon le point de vue double que lui-même partage l'auteur, il les conserve en raison de ceci que la jeunesse voulut bien en tenir compte et autour un public se former.

SALUT : ce Sonnet, en levant le verre, récemment, à un Banquet de la Plume, avec l'honneur d'y présider.

APPARITION tenta les musiciens, entre qui MM. Bailly et André Rossignol qui y adaptèrent des notes délicieuses.

LE PITRE CHÂTIÉ parut, quoique ancien, la première fois, dans la grande édition de la Revue Indépendante.

LES FENÊTRES, LES FLEURS, RENOUVEAU, ANGOISSE (d'abord A Celle qui est tranquille), « Las de l'amer repos où ma paresse offense », LE SONNEUR, TRISTESSE D'ÉTÉ, L'AZUR, BRISE MARINE, SOUPIR, AUMÔNE (intitulé le Mendiant) composent la série qui, dans cet ouvrage cité toujours s'appelle du Premier Parnasse contemporain.

HÉRODIADE, ici fragment, où seule la partie dialoguée, comporte outre le cantique de saint Jean et sa conclusion en un dernier mono-logue, des Prélude et Finale qui seront ultérieurement publiés, et s'arrange en poème.

L'APRÈS-MIDI D'UN FAUNE parut à part, intérieurement décoré par Manet, une des premières plaquettes coûteuses et sac à bonbons mais de rêve et un peu orientaux avec son « feutre de Japon, titré d'or, et noué de cordons roses de Chine et noirs », ainsi que s'exprime l'affiche ; puis M. Dujardin fit, de ces vers introuvables autre part que dans sa photogravure, une édition populaire épuisée.

TOAST FUNÈBRE, vient du recueil collectif le Tombeau de Théophile Gautier, Maître et Ombre à qui s'adresse l'Invocation ; son nom apparaît en rime avant la fin.

PROSE, pour des Esseintes, il l'eût, peut-être, insérée, ainsi qu'on lit en l'A-rebours de notre Huysmans.

« Tout à coup et comme par jeu » est recopié indiscrètement à l'album de la fille du poëte provençal Roumanille, mon vieux cama-rade : je l'avais admirée, enfant et elle voulut s'en souvenir pour me prier, demoiselle, de quelques vers.

REMÉMORATION. J'éprouve un plaisir à envoyer ce sonnet au

livre d'Or du Cercle Excelsior, où j'avais fait une conférence et connu des amis.

CHANSONS BAS I ET II, *commentent, avec divers quatrains, dans le recueil les* Types de Paris, *les illustrations du maître-peintre Raffaelli, qui les inspira et les accepta.*

BILLET, *paru en français, comme illustration au journal anglais* the Whirlwind (le Tourbillon) *envers qui Whistler fut princier.*

PETITS AIRS I, *pour inaugurer, novembre 1894, la superbe publication l'*Épreuve. II, *appartient à l'album de M. Daudet.*

LE TOMBEAU D'EDGAR POE. *Mêlé au cérémonial, il y fut récité, en l'érection d'un monument de Poe, à Baltimore, un bloc de basalte que l'Amérique appuya sur l'ombre légère du Poëte, pour sa sécurité qu'elle ne ressortît jamais.*

LE TOMBEAU DE CHARLES BAUDELAIRE. *Fait partie du livre ayant ce titre, publié par souscription en vue de quelque statue, buste ou médaillon commémoratifs.*

HOMMAGE, *entre plusieurs, d'un poëte français, convoqués par l'admirable Revue Wagnérienne, disparue avant le triomphe définitif du Génie.*

Tant de minutie témoigne, inutilement peut-être, de quelque déférence aux scoliastes futurs.

Choix de vers
de circonstance

Les loisirs de la poste

Écrivains

*

Apte à ne point te cabrer, hue!
Poste et j'ajouterai : dia!
Si tu ne fuis 11 bis, rue
Balzac chez cet Heredia.

*

Au charmeur des Muses becque-
té, plus prompt à l'estocade,
l'étincelant Henri Becque
rue, et 17, de l'Arcade.

*

Rue (as-tu peur) de Sèvres onze
Subtil séjour où rappliqua
Satan tout haut traité de gonze
Par Huÿsmans qu'il nomme J. K.

*

Victor Margueritte. On t'enjoint,
Poste, de le prendre en ta nasse
Rue, est-ce Bellepêche ? point
Mais quarante-deux Bellechasse.

*

A M. Alidor Delzant.

Vole avec ce qui l'environne
A Paraÿs, Lot-et-Garonne,
Notre cœur qui n'est pas pris qu'aux
Séductions des abricots.

Peintres

*

Rue, au 23, Ballu
>> J'exprime
Sitôt Juin à Monsieur Degas
La satisfaction qu'il rime
Avec la fleur des syringas.

*

A la caresse de Redon
Stryge n'offre ton humérus
Ainsi qu'un succinct édredon
Vingt-sept rue, ô Nuit! de Fleurus.

*

Clermont-Ferrand du Puy-de-Dôme —
Matin, discrètement mets-l'y,
Cette missive presque un tome
Pour Hector Giacomelli.

Amies

*

O Facteur, il faut que tu vêtes
Ta tunique verte d'elbeuf
Pour ouïr un nid de fauvettes
Chantant Boulevard Lannes neuf.

*

*

Rue, au 8, de la Barouillère,
Sur son piano s'applique à
Jouer, fée autant qu'écolière,
Mademoiselle Wrotnowska.

*

Que la très subtile Élisa
Nymphe des tuyaux et des vannes
Cessant d'arroser me lise à
L'ombre du 9 Boulevard Lannes.

Éventails

*

A Mme Madier de Montjau.

Aile quels paradis élire
Si je cesse ou me prolonge au
Toucher de votre pur délire
Madame Madier de Montjau.

*

A Mlle G. M.

Jadis frôlant avec émoi
Ton dos de licorne ou de féc,
Aile ancienne, donne-moi
L'horizon dans une bouffée.

*

Bel éventail que je mets en émoi
De mon séjour chez une blonde fée
Avec cette aile ouverte amène-moi
Quelque éternelle et rieuse bouffée.

*

A Mme N. M.

Autour du marbre le lys croît —
Brise, ne commence par taire,
Fière et blanche son regard droit,
Nelly pareille à ce parterre.

*

Comme la lune l'en prie
Un blanc nuage pour cold
Cream étend la rêverie
De Mademoiselle Hérold.

*

A Mme Georges Rodenbach.

Ce peu d'aile assez pour proscrire
Le souci nuée ou tabac
Amène contre mon sourire
Quelque vers tu de Rodenbach.

*

A ce papier fol et sa
Morose littérature
Pardonne s'il caressa
Ton front vierge de rature.

*

A Mme Seignobos.

Avec la brise de cette aile
Madame Dinah Seignobos
Peut, très-clémente, y pense-t-elle
Effacer tous nos vains bobos.

*

A Mme Léopold Dauphin.

Spirituellement au fin
Fond du ciel avec des mains fermes
Prise par Madame Dauphin
Aile du Temps tu te refermes.

*

A Mme Gravollet.

Palpite,
        Aile,
                mais n'arrête
Sa voix que pour brillamment
La ramener sur la tête
Et le sein
            en diamant.

Offrandes à divers du Faune[1]

Exemplaire de Mme Édouard Manet.

Le Faune rêverait hymen et chaste anneau
Sans les nymphes du bois s'il s'avisait d'entendre
Au salon recueilli quand le grand piano
Tout comme votre esprit passe du grave au tendre.

1876.

Laid Faune! comme passe aux bocages un train
Qui siffle ce que bas le chalumeau soupire
Vas-tu par trop de flamme empêcher ce quatrain
Maladroit à la taire
                ou, s'il la disait, pire

1876.

1. Titre de l'Auteur.

★

Ce Faune, s'il vous eût assise
Dans un bosquet, n'en serait pas
A gonfler sa flûte indécise
Du trouble épars de ses vieux pas.

★

Faune, si tu prends un costume
Simple comme les liserons
Dujardin et moi non posthume
Nous te populariserons.

★

Exemplaire de la Comtesse de Grasset.

Pan
   tronc qui s'achève en homme
Moins gravement embrassait
Les pipeaux
     que je ne nomme
La comtesse de Grasset.

1895.

★

Exemplaire de Claude Debussy.

Sylvain d'haleine première
Si ta flûte a réussi
Ouïs toute la lumière
Qu'y soufflera Debussy.

119

Photographies

Photographies de Mme Méry Laurent.

*

Blanche japonaise narquoise
Je me taille dès mon lever
Pour robe un morceau bleu turquoise
Du ciel à quoi je fais rêver.

*

Cette dame a pour nom Méry
Et tient de tout juste balance
Déjà son sourire a guéri
Le mal que son regard te lance.

*

Très fidèle à mes amitiés
Dans un bleu reflet qui s'argente
Sous un, si vous en doutiez!
Que ma robe seule est changeante.

*

Avec ce mutin casque blond
C'est votre oubli que je défie
Et j'offre à ceux qui déjà l'ont
Dans le cœur, ma photographie.

*

Je ne sais pourquoi je vêts
Ma robe de clair de lune
Moi qui, déesse, pouvais
Si bien me passer d'aucune.

Photographies de l'Auteur

*

L'image du faiseur de vers
Se montre à souhait réussie
Pour peu qu'elle passe à travers
Les yeux de Madame Lucie.

*

Quelqu'un par vous charmé
Stéphane Mallarmé.

Photographie de Mme Mallarmé

*

Voici du couple la meilleure
Moitié qu'aucun blâme n'effleure.

121

Dons de fruits glacés
au nouvel an

*

A Mme *Léopold Dauphin.*

Hier, voyez-la! demain
Du clavecin elle écoute
Chanter le bois surhumain
Et, songeuse, ne se doute
Qu'un fruit d'or tombe en sa main.

*

Ces vils fruits ne sont que mensonge
Pour un œil ravi d'épier
Tout l'éclatant jardin du songe
Qui mûrit sur votre papier.

*

A Mme Madier de Montjau.

Sous un hiver qui neige, neige,
Rêvant d'Edens quand vous passez!
Pourquoi, Madame Madier, n'ai-je
A donner que des fruits glacés...

*

L'an nouveau qui vous caressa
Toujours la même sans rature
Apporte aussi ce fruit et sa
Monotone littérature.

*

A Mme Léopold Dauphin.

Je ne crois pas qu'une brouette
D'espoirs, de vœux, de fleurs enfin
Verse à vos pieds ce que souhaite
Notre cœur, Madame Dauphin.

*

Loin d'aucuns palmiers ou du cierge
Que l'aloès érige fin
Ce fruit tombe chez la concierge
Des houris et dames Dauphin.

*

Ce bon Dauphin ne s'embarrasse
Deux peignent
                une chante mais
La maman partage la grâce
A table comme un entremets.

1895.

*

Trois sœurs, chacune se dispute
A son tour que vous la baisiez,
Votre rire est la même flûte
Que jadis venant de Béziers.

*

A celles dont il se moquait
Quand il s'évada pour être ange
Le défunt petit perroquet
Jette de là-haut cette orange.

*

Que ce fruit toute la Provence
A Paris goûté par Gina
Lui semble quelque redevance
Au beau ciel qui l'imagina.

*

Sur le chignon blond de Jeannie
Un diamant scintille à nos
Regards quand avec le génie
Elle dompte les pianos.

1897.

*

Mil huit cent quatre vingt neuf
Ne saurait sans un blasphème
Exprimer de souhait neuf
A vous, Madame, la même.

*

Aujourd'hui l'amitié triche
Comme un crabe nous voulons
Que cet An de la bourriche
Pour vous sorte à reculons.

1897.

*

Toute gracieuseté qu'on fit
Se change l'hiver en fruit confit.

Autres dons de nouvel an

★

THÉIÈRE

Éva, princesse ou métayère
Allumeuse du divin feu
En y posant cette théière
Saura le modérer un peu.

★

« VERRE D'EAU »

A Mme Méry Laurent.

Ta lèvre contre le cristal
Gorgée à gorgée y compose
Le souvenir pourpre et vital
De la moins éphémère rose.

1895.

*

DONS DE MOUCHOIRS

Acclamez d'un petit bruit d'aile
Son nez qui jamais ne prisa,
Mouchoirs, sans cacher le fidèle
Sourire de notre Élisa.

*

Si vous faites naufrage, Élisa, tout nous sert,
Agitez ces mouchoirs sur un îlot désert.

*

Celle ici qui ne prisa
Que l'amitié simple et franche
Veut pour son nez
                             Élisa
Une pure toile blanche.

1895.

*

Lisa
          que votre nez répète
Le salut dans chaque mouchoir
D'une impartiale trompette
A l'an qui se lève ou va choir.

1896.

Quoique à ses pieds une sultane
Ensemble n'en voie autant choir
Lisa, recevez de Stéphane
Mallarmé maint et maint mouchoir.

1897.

*

LIVRES AUX ÉTRENNES

A Julie.

Ce poëme devenu prose,
Comme tout se passe à l'envers!
Moi qui devrais pour chaque rose
Ne vous envoyer que des vers.

1889.

*

A la même.

Ici même l'humble greffier
Atteste la mélancolie
Qui le prend d'orthographier
Julie autrement que Jolie.

1891.

*

A la même.

Julie ou Bibi du Mesnil
Rêvant à l'endroit nommé cieux
Ne méprisez ni le nez ni l'
Hommage ému de vieux messieurs.

1892.

*

A Mme Whistler.

L'an s'en va quoique Whistler nie
Ou par Vous on sache oublier
Sourire
       grâce
            autre génie
De renverser le sablier.

1895.

Œufs de Pâques

*Chaque vers était écrit à l'encre d'or sur un œuf rouge et précédé
d'un numéro de manière à reconstituer le quatrain. — Une seule
fois, le numérotage put être omis, et, en intervertissant les œufs,
l'ensemble lu ainsi plusieurs fois de façon différente.*

*

Pour Mlle Mallarmé.

Pâques apporte ses vœux
Toi vaine ne le déjoue
Au seul rouge de ces œufs
Que se colore ta joue.

Au seul rouge de ces œufs
Que se colore ta joue
Pâques apporte ses vœux
Toi vaine ne le déjoue.

Que se colore ta joue
Au seul rouge de ces œufs
Toi vaine ne le déjoue
Pâques apporte ses vœux.

'Toi vaine ne le déjoue
Pâques apporte ses vœux
Que se colore ta joue
Au seul rouge de ces œufs.

*

A Méry Laurent.

Ces œufs, Madame, vous pouvez
Faire qu'en ce Dimanche insigne
Par votre tournure couvés
Ils s'envolent paon blanc ou cygne.

1891

*

Pour Mme Mallarmé.

Je n'ai pas pour petite mère
Une amitié éphémère.

Fêtes et anniversaires

*

Toi les merles, moi la mouette,
Sans ces oiseaux correspondons
Aujourd'hui que je ne souhaite
Rien à qui détient tous les dons.

*

Un an de moins, mignonne, est traître
Au retour de chaque printemps,
Tu finiras par disparaître;
Il faut t'arrêter à vingt ans.

1891.

*

Tu choisis ton temps pour renaître!
Tout, de la fleur ivre et debout
Jusqu'au rayon de la fenêtre,
Sourit, et tu fais comme tout.

1892.

*

Ouverte au rire qui l'arrose
Telle sans que rien d'amer y
Séjourne, une embaumante rose
Du jardin royal est Méry.

*

Voici la fleur que j'ai prise à
La main fidèle d'Élisa.

Albums

*

Cette ondine sous son bonnet
Ciré, mouillant un frais visage,
C'est Étoile que reconnaît,
Chaque été, notre paysage.

*

A l'oubli tendre défi d'ailes
Les instants qu'ils nous ont valus
Attardés, inquiets, fidèles
Voltigent autour des Talus.

*

A une dame, aux Eaux.

La dame pour faire semblant
Dans une piscine éternelle
Plonge son pied au reflet blanc
Mais la jeune source est en elle.

1891.

*

Comme je ne vous blâme point
Eaux thermales qui la soignâtes
D'avoir décoré d'embonpoint
La plus blanche des Auvergnates.

*

Un beau nom est l'essentiel
Comme dans la glace on s'y mire
Céline reflète du ciel
Juste autant qu'il faut pour sourire.

*

A son coiffeur.

Mon cher Émile
                        On s'attache
A qui longtemps vous tondit
Ou frisa votre moustache
D'un coup de fer inédit.

*

A Mlle P. G.

Cet honnête petit soldat
Le front penché sur votre épaule *
Comme je voudrais qu'il gardât
Un souvenir exquis de Paule.

Juillet 1898.

*. Voisin, dormant, en chemin de fer.

Dédicaces, autographes,
envois divers

*

Muse, qui le distinguas,
Si tu savais calmer l'ire
De mon confrère Degas,
Tends-lui ce discours à lire.

*

Louÿs, ta main frappe au
Sépulcre d'Edgar Poe.

*

Attendu qu'elle y met du sien
Vous feuillets de papier frigide
Exaltez moi musicien
Pour l'âme attentive de Gide.

*

Exultez le temps mes vers
Que vous accorde une œillade
Bénigne et pas de travers
Le princier Laurent Tailhade.

*

Envoi de « Vathek ».

Amusez-vous du *Conte Arabe*
Moi, me voici devenu crabe.

*

Pour M. et Mme Eugène Manet, à Nice.

O fin de siècle, Hiver! qui truques
Tout, excepté le sentiment,
J'aime quand tu mets gentiment
Aux camélias des perruques.

1888.

*

Vous n'avez pas su nos
Exclamations : Qu'est-ce ?
Avant tant de pruneaux
Savourés dans leur caisse.

*

N'allez pas, je le dis en vers,
Éva, rose qu'on ne cueille
Regarder la vie à travers
La fumée âcre du Bird's eye.

*

A sa fille et une amie d'Honfleur.

Contre de l'huile de marsouin
Ou même un peu de goudron, vais-je
Exporter par un touchant soin
Mes deux fillettes en Norvège?

*

Ma sagesse vis-à-vis
De vous les deux se condense
Toute en ce nouvel avis
Riez et même qu'on danse.

*

Dépêche.

Montargis, séjour, au buffet
De qui le ciel à flots s'épanche
Je mets comme le chien eût fait
Mon museau sur votre main blanche.

*Exemplaire de la Conférence sur Villiers de l'Isle-Adam
offert à Mme Berthe Manet.*

Vous me prêtâtes une ouïe
Fameuse et le temple; si du
Soir la pompe est évanouie
En voici l'humble résidu.

1890.

*

Envoi au Salon des XX, à Bruxelles, de la Conférence sur Villiers.

Tant que tarde la saison
De juger ce qu'on fait rance,
Je voudrais à sa maison
Rendre cette conférence.

*

*Quatrain écrit pour un ami (Édouard Manet) qui voulait mettre
deux ou quatre vers au-dessous d'un Polichinelle peint par lui.*

Polichinelle danse avec deux bosses, mais
L'une touche le sol et l'autre l'Empyrée :
Par ce double désir âme juste inspirée,
Vois-le qui toujours tombe et surgit à jamais.

1873.

*

Improvisé en écoutant la musique de Léopold Dauphin.

... Ainsi qu'une fontaine à la fois gaie et noire
Étincelle de feux, se cache sous le pin
Coule et veut être celle où la brise ira boire,
    Un sanglot noté par Chopin.

*

En renvoyant un filet à poisson.

Je vous rends, Claire de Paris
Le filet, mais j'y reste pris.

*

Je souhaite que ce buvard
Sous tes doigts devienne bavard.

*

Il ne faut pas serrer les nœuds de ton hymen
Avant d'avoir passé le sinistre examen.

*

J'ai mal à la dent
D'être décadent!

*

Sur un panneau communal désaffecté à la campagne.

Salut ô passant qui te fiches
De lire en été les affiches!

*

A une petite chienne.

Quand je passe qui rit à
Mes caresses, toi, Rita.

Autour d'un mirliton

La dame à qui il fut offert y évoque tous ses familiers.

Tous de l'amitié. Sans ça l'on
Ne saurait orner mon salon

J'ai, sur ce mirliton rêveur
Ma devise « Evans for ever »

Augusta Holmès m'accommode
Comme femme et même comme ode

Coppée, aussi je le reçois,
Reste l'honneur du vers François

Sur Pégase palefroi
Jean est muse et Berthe, Roy

Je ne connais rien de funeste
A nos vertus comme Geneste

Madame François, de son nom Mina
A m'aimer un peu se détermina

Sans être femmiste ou damard
On en tiendrait pour Hadamard

Dupray, jouvenceau; qu'on nomme
Mal ici le vieux Bonhomme

A nos « five », Hortense Schneider
Ote sa pelisse d'eider

Quel chignon topaze ou saur
Subjugue à présent Champsaur ?

Ta fontaine, Évian, pleure sur le gravier
Le pied évanoui de Madame Gravier

Comme un yacht princier Marie
Magnier va sans avarie

Notre rire aux notes soumis
Fera de nous mille Roumis

Je crois, sans qu'on m'en ait conté,
Plaire à Rosine Labonté

Le cœur me bat trop s'il est ausculté
Par Fournier, flambeau de la Faculté

A fleurir s'est, chez Edmond, décidée
Une multiple et bizarre orchidée

Portalier un cœur; mais de seins
Pas plus que tous les médecins

Je m'accoude dans le bain
Aimant entendre Robin

Quelquefois je nomme Adrien
Marx mon docteur, quand je n'ai rien

Reine pour la simple Élisa
Sa ferveur me fleurdelisa

Mon goût correct s'est gendarmé
Contre ces vers de Mallarmé.

Rondels

I

Fée, au parfum subtil de foin
Coupé, dans la verte prairie,
Avec sa baguette fleurie
Elle surgit, charmant témoin *.

Ce n'est pas quand on se marie
Seulement, qu'aux pays du loin,
Avec sa baguette fleurie
Elle surgit, charmant témoin.

Attentive à porter le soin
Jusqu'au cher cadeau qui varie
Toujours selon la rêverie
De l'enfant muette en son coin,
Elle surgit, charmant témoin.

*. Témoin au mariage de l'Auteur.

Prenez dans chaque main de l'homme
Tourmenté par un soin ardu
De savoir ce qu'il vous faut, du
Bouton de rose ou de la pomme.

Pour chasser le malentendu,
En lui disant que c'est tout comme
Prenez dans chaque main de l'homme
Tourmenté par un soin ardu.

Si, damoisel ou majordome,
Il a, près de vous, confondu
La fleur qu'on respire éperdu
Et le fruit qui ne se consomme,
Prenez dans chaque main de l'homme.

Sonnets

I. POUR UN BAPTÊME

Si, subtile, le petit nez,
Éblouissant noyé dans telle
Candeur de rires devinés
Que s'entr'ouvre cette dentelle,

Le filial instinct vous prit,
Orgueilleuse, mais la seconde,
De ressembler par son esprit
Tout bas à votre aïeule blonde,

Conservez, des fonts baptismaux,
Afin qu'il se volatilise
Miraculeusement en mots
Natifs et clairs comme une brise,

Mademoiselle Mirabel
Sur la langue le grain de sel.

II. A M.

L'aile s'évanouit et fond
Des Cupidons vers d'autres nues
Que celles peintes au plafond,
Prends garde! quand tu éternues —

Ou que ce couple qui jouait
N'interrompe sa gymnastique
Pour te décerner le fouet
Sur quelque chose d'élastique

Si (moi-même je reconnais
Comme avec à propos on t'aime
Pâlie en de petits bonnets)
Jamais tu gazouilles ce thème

Ancien : Z'ai mal à la gorze —
Pendant l'an quatre vingt quatorze.

III. TOAST

(Saint-Charlemagne, au collège Rollin, 2 février 1895.)

Comme un cherché de sa province
Sobre convive mais lecteur
Vous aimâtes que je revinsse
Très cher Monsieur le Directeur

Partager la joie élargie
Jusqu'à m'admettre dans leur rang
De ceux couronnant une orgie
Sans la fève ni le hareng

Aussi je tends
                    avec le rire
Écume sur ce vin dispos
Qui ne saurait se circonscrire
Entre la lèvre et des pipeaux

A Vous dont un regard me coupe
La louange
                    haut notre Coupe

IV

Le bachot privé d'avirons
Dort au pieu qui le cadenasse —
Sur l'onde nous ne nous mirons
Encore pour lever la nasse

Le fleuve sans autres émois
Que l'aube bleue avec paresse
Coule de Valvins à Samois
Frigidement sous la caresse

Ce brusque mouvement pareil
A secouer de quelque épaule
La charge obscure du sommeil
Que tout seul essaierait un saule

Est Paul Nadar debout et vert.
Jetant l'épervier grand ouvert.

V

*Sur un exemplaire des poésies de l'Auteur
écrites de la main de Valère Gille.*

La Gloire comme nulle tempe
Encore ni poivre ni sel
Ne s'y dora selon la lampe,
De si tôt paraître missel,

Ce l'est avec le commentaire
Par entrelacs colorié :
Je me sens un peu comme en terre
Allé refleurir le laurier.

Le beau papier de mon fantôme
Ensemble sépulcre et linceul
Vibre d'immortalité, tome
A se déployer pour un seul

Dans le gothique d'évangile
Par vous rêvé, Valère Gille.

Poëmes d'enfance
et de jeunesse

(1858-1863)

Cantate pour la première communion

Anges à la robe d'azur,
Enfants des cieux au cœur si pur,
De vos ailes couvrez ce joyeux sanctuaire
Chantez, célébrez tous en chœur
La joie et le bonheur
Des enfants de la terre!

*

Sur les ailes de l'Espérance,
Que tes vœux, pleins de confiance,
Enfant, s'envolent vers le ciel!
Ainsi que l'odorant nuage
De ton amour céleste image
Qui s'exhale au pied de l'autel.

*

Anges à la robe d'azur...

Enfant, dans le Dieu de l'enfance
Qu'a su charmer ton innocence,

Dans cet hymen mystérieux
De la force et de la faiblesse
Ne vois-tu pas, ô douce ivresse!
Un prélude au bonheur des cieux?

*

Anges à la robe d'azur...

Voici le jour de la prière!
Priez le Seigneur pour la mère
Qui courba vos tendres genoux
Devant sa souriante image;
Priez aussi pour qui l'outrage,
Priez, enfants, priez pour tous!...

*

Anges à la robe d'azur,
Enfants des cieux, au cœur si pur,
De vos ailes couvrez ce joyeux sanctuaire
Chantez, célébrez tous en chœur
La gloire et le bonheur
Des enfants de la terre!

Juillet 1858.

Sa fosse est creusée!...

I

Il sera dit, Seigneur, qu'avec les épis d'or
Elle aura vu tomber son front, où l'auréole
Qui d'ans en ans pâlit étincelait encor!
Qu'avant le soir la main a fermé sa corolle!

Il sera dit qu'un jour, jaloux de sa beauté,
Tu lanças sur son toit l'archange à l'aile noire!
Que tu brisas sa coupe avant qu'elle y pût boire :
Qu'elle avait dix-sept ans, qu'elle a l'éternité!

Il sera dit, — malheur! — que, fleuri sous ta serre
Son berceau, frêle espoir, fut son cercueil un jour,
Sans avoir vu dans l'ombre errer un nom d'amour!
Il sera dit qu'honni tu gardes ton tonnerre!

Non! — la rose qui naît sur une tresse blonde
Au bal, quand le cœur rêve, et l'horizon est beau,
Ne doit point se faner demain sur un tombeau!
Que ta rosée, au ciel, et non des pleurs, l'inonde!

Non! — mon Harriet sourit lorsque les chants ailés
Que le soir à son cœur murmure avec la brise
Soufflent : Amour... espoir... et mille mots voilés!
Non! — sa joue est de flamme et son sein s'aërise!

Son regard d'une étoile a pris une étincelle,
Qui brille, astre d'un soir, sur un orbe d'azur
Dont la fatigue seule, en la rasant de l'aile,
A, jusqu'à l'autre aurore, entouré son œil pur!

Mère, dors! l'œil mouillé ne compte pas les heures...
— Parce que ton enfant fait courber ton genou
Qu'un céleste reflet luit à ton front, tu pleures... —
Qui sait? un ange peut s'égarer parmi nous.

Il peut... mais, ô Seigneur, pourquoi moi qui console
Sens-je sous ma paupière une larme glisser?
N'ornes-tu tant son front qu'afin qu'elle s'envole?
Dépouille-t-elle ici ce qu'elle y doit laisser?

Ton lys prend l'or du ciel avant que tu le cueilles!
Oui, le corps jour par jour voit fuir en son été
Ce qu'il a de mortel, comme un arbre ses feuilles!
L'on devient un enfant pour l'immortalité!

Chaque chant de l'horloge est un adieu funèbre!
O Deuil! un jour viendra que ce sera son glas!
Heure par heure, glisse un pas dans les ténèbres :
C'est le pied de la mort, qui ne recule pas!

Lorsque son œil rêveur voit, dans l'azur qu'il dore,
S'élever le soleil derrière un mont neigeux,
Son cœur bat : elle est morne, et crie en pleurs aux cieux
Hier, hier, hier, rendez-moi son aurore.

II

Hier ! — hier ! il est bien loin !
Le temps a soufflé dans sa voile...
Non ! hier à ce jour n'est joint
Que par la chute d'une étoile !
Hier ! spectre que nous priions
A genoux, — et dont nous riions !
Astre qui dans la nuit immense
S'éteint, sombre de souvenir,
Lui, qui brillait tant d'espérance !
— Hier ne peut plus revenir !

Hier, la fleur pâlie !... hier, le rocher sombre
Qui, géant, se dressait, et qu'a rongé le flot !
Hier, un soleil mort ! une gloire dans l'ombre !
Hier !... qui fut ma vie, et qui n'est plus qu'un mot !...

III

Oh ! mal traître et cruel !... la vierge se fait ange
Pour éblouir nos yeux, avant d'aller à Dieu !
Nous voulons l'admirer, — l'aimer !... — une aile étrange
Sous nos baisers blanchit — puis un jour dit adieu !

157

Sa mère en son linceul voudra dormir comme elle
— « Sa mère!... elle n'en a, tombée un jour du ciel! »
— Mais une femme enfin lui prêta sa mamelle,
La berça de longs soirs, la bénit à Noël!

Mais ses sœurs, chaque jour, la voient quitter la terre!
Ses trois sœurs que sa tête, — ainsi qu'un épi d'or
Règne sur la moisson, — domine à la prière!
« Sa sœur est l'ange, au ciel elle prend son essor. »

Mais ses frères naissants ne voyant plus dans l'ombre
Au dortoir enfantin briller sa blanche lueur,
Demanderont le soir à leur père, front sombre,
Dans les pleurs seuls riants : « Où donc est notre sœur ? »

Et les pauvres diront : « Voici l'hiver qui glace!... »
Sous la brise les fleurs chanteront « Dies Iræ »
Jour de colère... eh! non! pour Dieu sans pleurs il passe!
       — Et moi, je maudirai!

Dieu! ton plaisir jaloux est de briser les cœurs!
Tu bats de tes autans le flot où tu te mires!
Oh, pour faire, Seigneur, un seul de tes sourires
       Combien faut-il donc de nos pleurs!

Juin 1859.

Sa fosse est fermée

11 JUILLET 1859

« A notre maison blanche, où chante l'hirondelle
» Dans un bois verdoyant, vous viendrez, disait-elle
» Nous cueillerons les fleurs que cachent les grands blés,
» Le soleil qui les dore a fait mes pieds ailés,
» Et le soir, au foyer où chaque cœur s'épanche,
» Nous ferons pour ma mère une couronne blanche... »

La fleur rit aux épis : l'alcyon chante encor,
Elle seule a passé ! — sous un saule elle dort.

Albion ! Albion ! vieux roc que bat l'écume,
Devais-tu donc lui faire un linceul de ta brume !
On ne savait donc pas que sous ton sombre ciel
Le soir où dort la fleur est un soir éternel,
Et qu'au lieu de rosée, aux reflets de l'aurore,
Des pleurs inondent seuls son calice incolore !

Non !... son père l'aimait, vieillard à qui les ans
N'ont point ravi l'amour pour prix des cheveux blancs,

Et l'amour, comme on sait, est sœur de l'espérance.
Il disait plein d'espoir : « Dieu, que le ciel encense
Ne peut pas envier l'ange de notre toit. »
Car le soir, au foyer, quand son timide doigt
Dans la bible aux clous d'or, où prièrent ses pères,
Faisait épeler « Ruth » à ses deux jeunes frères,
Le soir, on eût pensé qu'un ange voyageur,
Comme ceux qu'il voyait au livre du Seigneur,
Sous leur tente venait révéler ses purs charmes,
Et bénir la famille, et sécher quelques larmes,
Et porter aux enfants un baiser du Très-Haut!

Que vont-ils devenir, hélas! loin de son aile
Sous laquelle, en volant du foyer, l'étincelle
Brillait comme une étoile, et rappelait les cieux!
A Noël quand vibrait son chant mélodieux,
Un silence pieux planait sur chaque tête :
Seule la mère, au soir, songeant à l'autre fête,
Sentait battre son cœur et se mouiller son œil.
Elle, riant, disait : « Mère, pourquoi ce deuil? »

Pourquoi ce deuil, o mère? Harriet est l'auréole
Qui luit sur la famille, et dont l'éclat console.

C'était l'âme de tout! la France au ciel d'azur
A pleuré de la voir fuir son beau soleil pur.
Son lac américain où le Niagara brise
L'algue blanche d'écume, a gémi sous la brise :
« La mirerons-nous plus, comme aux hivers passés? »
Car, comme la mouette, aux flots qu'elle a rasés
Jette un écho joyeux, une plume de l'aile,

Elle donna partout un doux souvenir d'elle!
De tout que reste-t-il? que nous peut-on montrer?

Un nom! sur un cercueil où je ne puis pleurer!
Un nom! qu'effaceront le temps et le lierre!
Un nom! couvert de pleurs, demain de poussière
Et tout est dit.
                    Oh! non, doit-on donc l'oublier?
Qui sut se faire aimer ne meurt pas tout entier!
On laisse sa mémoire ainsi qu'aux nuits l'étoile
Laisse une blanche lueur qu'aucune ombre ne voile :
Et, mort en son cercueil, on revit dans les cœurs!
Non!... tout n'est pas perdu! pour endormir leurs pleurs,
Le soir, elle viendra sous les ailes d'un ange
A ses sœurs murmurer des neuf chœurs la louange!
Dans leurs rêves dorés, ses frères sur leur front
Sentiront un baiser, et ravis, souriront!
Quand la brise des nuits sous la lune argentée
Gémira par le parc en la feuille embaumée,
On la verra passer comme une ombre d'azur
Et le matin la fleur sera d'un bleu plus pur!

Enfants, oh! pleurez-la comme une sœur éteinte,
Mais aussi priez-la comme on prie une sainte!
Le soir à la prière, où manquera sa voix,
N'oubliez pas un nom gravé sous une croix!
Car c'était une vierge au regard d'innocence
Que le ciel vous prêta pour bénir votre enfance :
Il lui rendit son aile, elle revint à Dieu!
Mais en partant du moins elle vous dit : Adieu!...
Vous avez sur ce lit où ce combat expire
Baisé sa main tremblante, en son dernier sourire!

Hélas! plus que le vôtre il est un cœur brisé!
Loin, derrière les flots, rêvant au lys glacé
Une sœur, l'œil en pleurs, a maudit l'espérance,
Qui lui disait trompeuse : « Aux lacs de ton enfance
Retourne la première : avec les fleurs, l'été
Va rendre à toi, ta sœur, à ta sœur, sa santé!...
Au cercueil elle aussi vient demander sa couche
Pour n'avoir pas, hélas! recueilli sur ta bouche,
Harriet, ce mot d'un cœur qui se fait immortel,
Le dernier de la terre et le premier du ciel!

Ah! pleure, infortunée! en ta barque perdue,
Seule, tu n'auras point, pour reposer ta vue
Ce tableau déchirant, mais qui brille si doux
De l'ange qui bénit sa famille à genoux!

Et moi!... n'était-ce assez pour ta faux déplorée,
Dieu, d'avoir moissonné ma sœur, rose égarée
Dans les épis que l'âge a courbés vers le sol?

Non! — à l'archange noir tu comptes un grand vol!

Et quand je pleure, ô Dieu, tu ris dans la fumée
Qu'exhale en blancs flocons du ciel l'urne embaumée!
Tu ris!... et comme toi rit l'heureux univers.
L'oiseau boit la rosée et chante dans les airs,
La fleur sous le zéphyr que sa senteur parfume
Berce le papillon, qui, riant, sur l'écume
Se mire au flot d'azur, écoute son doux chant;
Et le soleil n'a pas moins de pourpre au couchant!
Le flot n'est pas moins beau, sa voix n'est pas plus sombre,
De moins d'astres le ciel ne sème pas son ombre!

La nature dit : Joie, et l'écho chante : Amour,
Et, narguant mes pleurs, tout poursuit joyeux son jour

Elle est morte!... et demain le siècle qui succombe
Lui donnera l'oubli, cette seconde tombe!
Foulant sa cendre aux pieds les autres passeront,
Sans prier à genoux, sans détourner le front!
D'autres épis comme elle avant qu'on ne moissonne
Tomberont : d'autres pleurs couleront : et personne
En entendant son nom, hélas! ne sourira!

« Elle est morte », dit-on, et chacun l'oubliera.

Pourquoi montrer ces cœurs, ô Dieu qui les protège,
Pourquoi les faire aimer, si, comme pour tes neiges,
C'est assez d'un rayon... pour fermer leur cercueil?
Fleur par fleur, chaque soir, on voit, la larme à l'œil,
S'effeuiller la couronne, — où demeure l'épine!
Et perdu dans ce deuil, on sent que l'on s'incline
Où va la feuille jaune, et qu'il faut, ô destin!
Plier sa tente, un soir qui n'aura de matin!
On ignore pour qui sa larme coule, — et prie!
Hier! c'était ma sœur! aujourd'hui mon amie!
Cette nuit pour demain a filé mon linceul!
Couche-m'y, sombre mort, je ne sais vivre seul!

1859.

La prière d'une mère

I

Au temple, un frais parfum des fleurs saintes s'exhale.
Harpe, ton chant est mort : Enfants, vos hymnes doux,
Doux comme l'innocence, au ciel fuient! Sur la dalle
    Seule, une femme est à genoux.

Est-ce l'ange pieux qu'auprès du sanctuaire
Le Seigneur a placé pour porter la prière
De l'orphelin au ciel parmi les flots d'encens?
Non : fils, c'est une mère : écoutez ses accents;

« C'est moi qui, lui parlant de nos douleurs amères,
» Quand le soir amenait la prière au foyer,
» Fis ses yeux se mouiller de larmes, — les premières!
» Et devant Votre croix ses deux genoux ployer!

» Comme un jeune lys croît à l'ombre d'un grand chêne,
» Votre main au berceau se pare de candeur

» Et nous vous bénissons! Est-il vrai que Dieu vienne
      » Aujourd'hui visiter son cœur,

» Qu'il l'appelle à briller en sa sainte phalange ?
» Vous le dites... j'espère. — Oh! qu'en ce jour, Seigneur,
» Un chant de joie au ciel sur les ailes d'un ange
» S'élève jusqu'à vous, faible écho de mon cœur!

» S'il trahissait la foi que sa bouche a jurée.
» Vous savez, ô Jésus, quel serait son tourment!
» Qu'il soit digne toujours de la table sacrée
» Où l'archange enviera le bonheur de l'enfant!

» Toi, qui sous ton haleine as fleuri son enfance,
» Frère sacré, qu'à l'ange exilé l'Éternel
» A donné pour guider ses pas dans l'espérance
      » Et pour lui rappeler le ciel,

» Que ce jour soit pour toi comme au ciel une fête!
» Ta joie est de sourire au bonheur fraternel,
» D'attacher à son front l'étoile qu'à ta tête
» Au matin de ta vie, attacha l'Éternel!

» Oh! demande au Seigneur que cet astre fidèle
» Luise pur à son front comme il brillait au tien!
» Quand le baigna l'eau sainte il dormait sous ton aile,
» Que sous ton aile encore il aille au Dieu qui vient!... »

Et son œil souriait mouillé de douces larmes!
Dieu parlait à son cœur, ô prélude du ciel!
Elle vit s'envoler ses pieuses alarmes,
      Puis un ange effleura l'autel!

« Gloire à Dieu dans les cieux! Gloire à Dieu sur la terre!
» Harpes d'or, résonnez! Celui dont le tonnerre
» Fut la voix, quand aux cieux il dicta leur destin,
» Qui lança le soleil en la voûte éternelle,
        » De son regard faible étincelle,
» A dit : Laissez venir les enfants sur mon sein!
          » Au premier jour, votre ombre immense
          » Daigna, Jehova, trois fois saint,
          » Parmi les foudres de vengeance
          » D'astres et d'éclairs le front ceint,
          » Ouvrir le ciel au premier ange
          » Étonné de voir, rêve étrange,
          » Lui, si petit, et vous, si grand!
          » Les astres naissants se voilèrent,
          » Les flots troublés se retirèrent...
          » L'immortel s'envola tremblant!

» Gloire à Dieu dans les cieux! Gloire à Dieu sur la terre!
» Pour qu'un enfant renaisse, il endort son tonnerre!
» Loin d'étonner son âme au bruit de sa grandeur,
» Il vient, le front paré d'une douce auréole :
        » De son exil il le console!
» Mystérieux hymen! il repose en son cœur!... »

Aux pieds d'Adonaï, purs reflets de sa gloire,
Les Chœurs mélodieux ont jeté cet accord
Dans l'azur, sous leurs doigts frémit le luth d'ivoire,
L'encens vole en flots blancs dans mille tresses d'or!

Un séraphin voilé s'élance vers Marie...
A la mère d'un Dieu, mère d'un fils sacré,
Il apporte tes vœux : bénis-la! qui la prie
Lui rend grâces avant que d'avoir espéré!

Mais quel est cet écho de prière lointaine
Que la brise en passant murmure au Dieu du ciel?
Chœurs, sont-ce vos chants? Non : de la terrestre cène
Pur, un ange d'un jour, parle à l'hôte éternel!

III. LA TERRE

« Seigneur, merci! toi qui nous changes
» Les nuits d'exil en jours bénis!
» N'était-ce assez de ton chœur d'anges,
» Cygnes purs des célestes nids?
» Merci!... de nos mains qu'on encense,
» Reçois nos lys, fleurs de l'enfance!
» Oh! que notre cœur soit plus pur
» Qu'un flot qui du ciel est l'image!
» Qu'en passant, le soir, nul nuage
» Dieu! n'en assombrisse l'azur!

» On dit que sous la fleur une épine se voile,
» Un tombeau sous la vague où se berce l'étoile,
» Si tu n'étais pas là, Seigneur, nous péririons!
» — Qu'un ange par la main nous mène à ta demeure
» Et que riant au flot, chacun de nous l'effleure
» Comme l'aile des alcyons!

» Si, par son chant trompeur nous attirait le gouffre,
» Dans la nuit fais briller de ce jour les lueurs!
» Mais aujourd'hui songeons que plus d'un père souffre;
» Prions, car la prière est l'aumône des cœurs!

      » Donne à notre prière une aile,
      » Pour qu'elle s'envole à ton cœur
      » Comme le frais parfum que mêle
      » Aux brises, l'aubépine en fleur!
      » Prions notre immortelle mère
      » Pour celle qui donna sur terre
      » Nos cœurs à son fils éternel!
      » Prions qu'elle écarte l'absinthe
      » De sa coupe où sa lèvre sainte
      » Boit la force qui mène au ciel!

» Frères, n'oublions pas ceux qui dorment à l'ombre
» Sous la croix, et qu'un mot de nous peut réveiller!
» Ni le vieillard qui voit notre astre en la nuit sombre,
» Quand sa tombe l'appelle, et ne sait plus prier!

» Prions pour l'orphelin! qu'un ange dans ses rêves
» Passe, essuyant de l'aile une larme en son œil!
» Pour ceux que bat le sort, comme un flot bat les grèves!
» Souvenons-nous enfin quand l'Aigle plein d'orgueil
        » S'envole à d'éternelles gloires*,
» Que le Dieu de l'enfance est le Dieu des victoires! »

7 juillet 1859.

*. Guerre d'Italie.

L'enfant prodigue

I

Chez celles dont l'amour est une orange sèche
Qui garde un vieux parfum sans le nectar vermeil,
J'ai cherché l'Infini qui fait que l'homme pèche,
Et n'ai trouvé qu'un Gouffre ennemi du sommeil.

— L'Infini ; rêve fier qui berce dans sa houle
Les arbres et les cœurs ainsi qu'un sable fin !
— Un Gouffre, hérissé d'âpres ronces, où roule
Un fétide torrent de fard mêlé de vin !

II

O la mystique, ô la sanglante, ô l'amoureuse,
Folle d'odeurs de cierge et d'encens, qui ne sus
Quel Démon te tordait le soir où, douloureuse,
Tu léchas un tableau du Saint-Cœur de Jésus.

Tes genoux qu'ont durcis les oraisons rêveuses,
Je les baise, et tes pieds qui calmeraient la mer.
Je veux plonger ma tête en tes cuisses nerveuses
Et pleurer mon erreur sous ton cilice amer :

Là, ma sainte, enivré de parfums extatiques,
Dans l'oubli du noir Gouffre et de l'Infini cher,
Après avoir chanté tout bas de longs cantiques
J'endormirai mon mal sur votre fraîche chair.

Galanterie macabre

Dans un de ces faubourgs où vont des caravanes
De chiffonniers se battre et baiser galamment
Un vieux linge sentant la peau des courtisanes
Et lapider les chats dans l'amour s'abîmant,

J'allais comme eux : mon âme errait en un ciel terne
Pareil à la lueur pleine de vague effroi
Que sur les murs blêmis ébauche leur lanterne
Dont le matin rougit la flamme, un jour de froid.

Et je vis un tableau funèbrement grotesque
Dont le rêve me hante encore, et que voici,
Une femme, très jeune, une pauvresse, presque
En gésine, était morte en un bouge noirci.

— Sans sacrements et comme un chien, — dit sa voisine.
Un haillon noir y pend et pour larmes d'argent
Montre le mur blafard par ses trous : la lésine
Et l'encens rance vont dans ses plis voltigeant.

Trois chaises attendent la bière : un cierge, à terre,
Dont la cire a déjà pleuré plus d'un mort, puis
Un chandelier, laissant sous son argent austère
Rire le cuivre, et, sous la pluie, un brin de buis...

Voilà. — Jusqu'ici rien : il est permis qu'on meure
Pauvre, un jour qu'il fait sale, et qu'un enfant de chœur
Ouvre son parapluie, et, sans qu'un chien vous pleure,
Expédie au galop votre convoi moqueur.

Mais ce qui me fit mal à voir, ce fut la porte
Lui semblant trop étroite ou l'escalier trop bas
Un croque-mort grimpant au logis de la morte
Par la lucarne, avec une échelle, à grands pas.

La mort a des égards envers ceux qu'elle traque :
Elle enivre d'azur nos yeux, en les fermant,
Puis passe un vieux frac noir et se coiffe d'un claque
Et vient nous escroquer nos sous, courtoisement.

Du premier échelon jusqu'au dernier, cet être
Ainsi que Roméo fantasquement volait,
Quand, par galanterie, au bord de la fenêtre,
Il déposa sa pipe en tirant le volet.

Je détournai les yeux et m'en allai : la teinte
Où le ciel gris noyait mes songes, s'assombrit,
Et voici que la voix de ma pensée éteinte
Se réveilla, parlant comme le Démon rit.

Dans mon cœur où l'ennui pend ses drapeaux funèbres
Il est un sarcophage aussi, le souvenir.
Là, parmi ses onguents pénétrant les ténèbres,
Dort Celle à qui Satan lira mon avenir.

Et le Vice, jaloux d'y fixer sa géhenne,
Veut la porter en terre et frappe aux carreaux, mais
Tu peux attendre encor, cher croque-mort : ma haine
Est là dont l'œil vengeur l'emprisonne à jamais.

A une petite laveuse blonde

O laveuse blonde et mignonne
Quand, sous ton grand chapeau de joncs
Un rayon égaré frissonne
Et se joue en tes cheveux blonds,

Quand, sous l'eau claire où tu t'inclines
Pour laver (et non pour te voir),
Vole la touffe d'églantines
Qui parfumait ton blanc peignoir,

Quand, suspendant ton linge au saule
Que rase un bleu martin-pêcheur,
Au vent qui rougit ton épaule
Tu vas gazouillant ta fraîcheur,

O laveuse aux mignardes poses,
Qui sur ta lèvre où rit ton cœur
Ou le sang embaumé des roses,
Au pied d'enfant, à l'œil moqueur,

Sais-tu, vrai Dieu! que ta grand'mère
T'aurait dû faire pour la Cour
Au temps où refleurit Cythère
Sous un regard de Pompadour ?

Lors, de leur perruque frisée
Semant les frimas en leurs jeux,
Roses, l'aile fleurdelisée,
Amours givrés et Ris neigeux

Au grand jardin des bergeries
T'emmenaient, près d'un vieux dauphin
Qui pleure à flots des pierreries
L'été, sur ses glaïeuls d'or fin.

Et ces larrons, ô larronnesse
Des traits, du carquois et de l'arc,
Te sacraient danseuse ou faunesse
Et vous perdaient, madame, au parc...

Là, pour feindre des pleurs candides
Secouant, quand passe Mondor,
Ton bouquet de roses humides
Sur ton livre aux écussons d'or,

Ou, pour qu'on sache que sa plume
A moins de neige que ta main,
D'un éventail baigné d'écume
Agaçant le cygne câlin,

Derrière ta robe insolente,
Drap d'argent et nœuds de lilas,

Tu traînerais la gent galante
Des vieux quêteurs de falbalas.

Tel fat, fredonnant Gluck, se pâme
Et cherche un poulet à glisser :
Tel roué, s'il se savait une âme
La damnerait pour te baiser.

Tu serais, sans compter leurs proses,
En des madrigaux printaniers,
Chloé, bergère à talons roses,
Diane, ou Cypris en paniers.

Musqués, chiffonnant les rosettes
De leur épée en satin blanc
Et l'échine en deux, les poëtes
Te demanderaient, roucoulant,

Si ta bouche en cœur fut cueillie
Sur les framboisiers savoureux,
Dans quel bois rêve ensevelie
La pervenche où tu pris tes yeux ?

O jours dorés des péronnelles,
Des Dieux, des balcons enjambés,
Du fard, des mouches, des dentelles,
Des petits chiens, et des abbés !

Boucher jusqu'aux seins t'eût noyée
Dans l'argent du cygne onduleux,
Cachant sous l'aile déployée
Ton ris de pourpre et tes yeux bleus.

Après Léda, blonde Ève nue,
Un évêque aux parcs enjôleurs
Aurait vu blanchir ta statue
Sous ses grands marronniers en fleurs.

Tandis qu'en ce siècle barbare,
Sans songer que ton corps si beau
Pût s'épanouir en Carrare,
A genoux et les bras dans l'eau

Tu ris au soleil du rivage
Qui d'un traître rayon brunit
Ta gorge entr'ouvrant son corsage
Comme un ramier sort de son nid.

1861.

A un poëte immoral

Puisque ce soir, onze Décembre
Mil huit cent soixante-un, je n'ai
Qu'à rouler le chapelet d'ambre
D'un rêve cent fois égrené,

Les pieds au feu, sans que m'égare
Quelque bonnet blanc inconstant,
Je vais avec ce blond cigare
Allumer ma verve un instant.

Et, tant que sa lueur vermeille
Égaiera l'ombre, te rimer
Une préface où l'on sommeille,
Moi, qui songe à les supprimer!

Si l'odelette parfumée
Ne survit au manille, sois
Franc, c'est qu'hélas! tout est fumée,
Tabac d'Espagne et vers françois.

Tout!... jusqu'au vieil épithalame
De la folie et des vingt ans,

Car par la ville plus d'un blâme
Ta gaîté qui sent le printemps.

Plus d'un dans sa vertu ridée
Se drape et t'appelle immoral,
Toi, qui n'as pas même l'idée
D'un prospectus électoral!

Laisse chanter, ô cher bohème,
Leur chanson à tous ces pervers
Si pervers que pas un d'eux n'aime
Et que pas un ne fait de vers!

Tu ne rêves pas pour ta prose
De ruban rouge où pend la croix,
Et préfères la gance rose
D'un corset délacé, je crois?

Tel le sage. Il fait à la pomme
Mordre quelque Ève au fond des bois
Et baise ses cils dorés comme
Le thé qu'en t'écrivant je bois.

Watteau, fier de ta comédie
Qui sert aux sots d'épouvantail
A Terpsichore la dédie
Peinte sur un fol éventail;

Bruns ægipans, noirs scaramouches
Au parc rêveur l'éventeront
La nommant déesse aux trois mouches,
Marquise ayant un astre au front!

Ris!... — Ils rient bien de qui courtise
Leur vertu dont le fard déteint,
Ces... — J'allais dire une sottise,
Et mon cigare s'est éteint.

Contre un poëte parisien

à E[mmanuel] des E[ssarts].

Souvent la vision du Poëte me frappe :
Ange à cuirasse fauve — il a pour volupté
L'éclair du glaive, ou, blanc songeur, il a la chape,
La mitre byzantine et le bâton sculpté.

Dante, au laurier amer, dans un linceul se drape,
Un linceul fait de nuit et de sérénité :
Anacréon, tout nu, rit et baise une grappe
Sans songer que la vigne a des feuilles, l'été.

Pailletés d'astres, fous d'azur, les grands bohèmes,
Dans les éclairs vermeils de leur gai tambourin,
Passent, fantasquement coiffés de romarin,

Mais j'aime peu voir, Muse, ô reine des poëmes,
Dont la toison nimbée a l'air d'un ostensoir,
Un poëte qui polke avec un habit noir.

Soleil d'hiver

à Monsieur Éliacim Jourdain.

Phébus à la perruque rousse
De qui les larmes de vermeil,
O faunes ivres dans la mousse,
Provoquaient votre lourd sommeil,

Le bretteur aux fières tournures
Dont le brocart était d'ors fins
Et qui par ses égratignures
Saignait la pourpre des raisins,

Ce n'est plus qu'un Guritan chauve
Qui, dans son ciel froid verrouillé,
Le long de sa culotte mauve
Laisse battre un rayon rouillé.

Son aiguillette, sans bouffette,
Triste, pend aux sapins givrés,
Et la neige qui tombe est faite
De tous ses cartels déchirés.

Mysticis umbraculis

(PROSE DES FOUS)

Elle dormait : son doigt tremblait, sans améthyste
Et nu, sous sa chemise, après un soupir triste
Il s'arrêta, levant au nombril la batiste.

Et son ventre sembla de la neige où serait,
Cependant qu'un rayon redore la forêt,
Tombé le nid moussu d'un gai chardonneret.

1862.

Sonnet

Parce que de la viande était à point rôtie,
Parce que le journal détaillait un viol,
Parce que sur sa gorge ignoble et mal bâtie
La servante oublia de boutonner son col,

Parce que d'un lit, grand comme une sacristie,
Il voit, sur la pendule, un couple antique et fol,
Ou qu'il n'a pas sommeil, et que, sans modestie,
Sa jambe sous les draps frôle une jambe au vol,

Un niais met sous lui sa femme froide et sèche,
Contre ce bonnet blanc frotte son casque-à-mèche
Et travaille en soufflant inexorablement :

Et de ce qu'une nuit, sans rage et sans tempête,
Ces deux êtres se sont accouplés en dormant,
O Shakspeare et toi, Dante, il peut naître un poëte !

Le château de l'espérance

Ta pâle chevelure ondoie
Parmi les parfums de ta peau
Comme folâtre un blanc drapeau
Dont la soie au soleil blondoie.

Las de battre dans les sanglots
L'air d'un tambour que l'eau défonce,
Mon cœur à son passé renonce
Et, déroulant ta tresse en flots,

Marche à l'assaut, monte, — ou roule ivre
Par des marais de sang, — afin
De planter ce drapeau d'or fin
Sur ce sombre château de cuivre

Où, larmoyant de nonchaloir,
L'Espérance rebrousse et lisse
Sans qu'un astre pâle jaillisse
La Nuit noire comme un chat noir.

POÈMES D'ENFANCE ET DE JEUNESSE

Ce volume,
le troisième de la collection Poésie
a été achevé d'imprimer
le 11 janvier 1978
sur les presses de Firmin-Didot S.A.

Imprimé en France
Dépôt légal : 1er trimestre 1978
N° d'édition : 23077 — N° d'impression : 1982